GIOVANNI PICO
DELLA MIRANDOLA

CONCLUSIONI
CABALISTICHE

introduzione, traduzione e note
a cura di
Paolo Edoardo Fornaciari

i cabiri

INDICE

INTRODUZIONE

di
Paolo Edoardo Fornaciari

LE INTUIZIONI DI GIOVANNI PICO

Nel 1486 Giovanni Pico conte della Mirandola, dopo un accelerato e concentrato sforzo di lettura ed assimilazione teologico-filosofica, aveva progettato un'originale iniziativa culturale: indire una pubblica disputa - oggi si direbbe un convegno, o congresso internazionale - in cui tutti i dotti della cattolicità convenuti in Roma (all'occorrenza, Pico li avrebbe ospitati a sue spese) avrebbero discusso le sue 900 *Conclusiones*, opera che costituiva un grandioso tentativo, anche se talvolta di dubbia efficacia, di ricomposizione unitaria di ogni manifestazione del pensiero umano, nei campi religioso, filosofico, scientifico, esoterico.

Le tesi, finite di elaborare dal filosofo mirandolano il 12 novembre 1486 e pubblicate a Roma (senza attendere il giudizio di cattolicità da parte della commissione pontificia) il 7 dicembre dallo stampatore Eucharius Silber Frank, avrebbero dovuto esser discusse dopo l'Epifania successiva, mentre finirono per fruttare a Pico la condanna da parte della Santa sede.

Innocenzo VIII, papa Cybo, passato alla storia più per le vicende familiari che per l'attenzione alla teologia, trovò infatti modo di occuparsi delle *Conclusiones*, convincendosi della pericolosità dello sforzo dottrinale di Pico, che tendeva non solo a ricomporre, per non citar che un caso, le divergenze tra Platone ed Aristotele, ma anche ad attenuare sino quasi a farle scomparire le differenze tra ebraismo (nella sua forma particolare della qabbalah) e cristianesimo, allargandosi sino al campo della astrologia, da Pico ritenuta sostanzialmente in linea con le religioni rivelate, almeno per i suoi aspetti teoretici. Venne bloccata la discussione pubblica, sino alla verifica che un'apposita commissione pontificia avrebbe effettuato. Tale commissione giudicò eretiche tre e non cattoliche altre dieci delle 900 *Conclusiones* ma il papa non rese immediatamente pubblica la condanna (che investì comunque tutte le tesi, non solo le 13 incriminate).

I motivi d'opportunità che lo avevano convinto ad attendere però decaddero di fronte al proseguire delle iniziative di Pico, che contro le decisioni della commissione romana ribadì le sue opinioni nella *Apologia*, composta in quella stessa primavera del 1487 in cui sembrava che andasse sottomettendosi al giudizio dei teologi di Innocenzo. Tale atteggiamento costò al conte mirandolano il breve di condanna che avrebbe portato ai sinistri roghi di Venezia, in cui l'edizione delle *Conclusiones* fu pubblicamente bruciata per 14 giorni consecutivi. L'autore ad ogni buon conto s'era convinto ad allontanarsi in Francia, dove sperava di poter discutere le sue opinioni all'università di Parigi. Al contrario, arrestato presso Lione da Filippo di Savoia finì incarcerato a Vincennes, da dove comunque riuscì a sfuggire all'inquisizione romana, per riparare finalmente a Firenze. All'esecuzione della condanna Pico scampò grazie ai buoni uffici di Lorenzo il Magnifico, suo amico e protettore, intimamente legato al papa poiché sua figlia era andata sposa al figlio del papa Francesco, che in cambio aveva insignito della porpora cardinalizia l'altro figlio di Lorenzo, il tredicenne Giovanni, futuro papa Leone X.

Le cose si risolsero definitivamente grazie alla benevolenza di Rodrigo Borgia, papa Alessandro VI, che con sottilissima capacità di distinzione (a cui non dovettero essere estranei ancora una volta motivi politici) nel 1493 argomentò che se erano eretiche le *Conclusiones*, non automaticamente doveva definirsene tale l'autore, al quale poteva esser sufficiente chiedere di non insistere sull'argomento. Cosa che Pico fece, ma sopratutto perché pressato da quel tormento interiore che lo aveva portato ad avvicinarsi al Savonarola, che doveva acuirsi con la morte di Lorenzo e del Poliziano e che si sarebbe concluso con la sua scomparsa stessa, poco più di un anno dopo l'assoluzione del Borgia.

LE *CONCLUSIONES CABALISTICÆ*

Oltre al tentativo di *concordia universalis* volto a fondere assieme tutte le articolazioni del pensiero allora conosciute in Occidente, le *Conclusiones* segnano l'inizio della avventura intellettuale di Pico nel campo della mistica ebraica. Infatti tra le 900 tesi, un gruppo di quarantasette è costituito da proposizioni basate su opere di qabbalisti ebrei, e conclude la prima parte delle *Conclusiones*, ove il mirandolano mette in evidenza, mediante appunti sintetici o vere e proprie citazioni, i punti di contatto che si posson trovare tra le dottrine di vari filosofi e di varie correnti di pensiero.

La seconda parte delle *Conclusiones*, composta di 500 tesi, è invece la rielaborazione originale di Pico degli insegnamenti e delle riflessioni dei pensatori a lui precedenti, e termina con una serie di altre settantadue *Conclusiones cabalisticæ LXXI* [sic] *secundum opinionem propriam, ex ipsis Hebraeorum sapientum fundamentis Christianam religionem maxime confirmantes*. Esse contengono le riflessioni autonome di Pico sugli insegnamenti di vari qabbalisti fuse assieme con la rivelazione cristiana ed il neoplatonismo: e sono poste dal mirandolano a coronamento finale di tutte le *Conclusiones* stesse, come a suggellare l'esito felice del suo progetto di *concordia universalis*, confermato da quella che doveva apparirgli una scoperta originalissima, ovvero la sostanziale unitarietà della forma più elevata del sapere filosofico, la teologia.

È anche per questo che, tra tutte le opere di Pico, le *Conclusiones cabalisticæ* sembrano aver conosciuto maggior fortuna, visto che sono state più volte ripubblicate, generalmente in latino. Ciò è avvenuto tanto per le due serie, isolate od assieme, quanto per entrambe con l'aggiunta del commento del francescano minorita del XVI secolo Arcangelo da Borgonovo, magari nel corpo di raccolte di vari testi di qabbalah cristiana. Tra l'altro, numerosissime sono le copie manoscritte (specie col commento del Borgonovo) sparse per le biblioteche d'Europa e d'America. Comunque, nessuna traduzione italiana commentata è mai stata edita prima di questa che presentiamo.

Senza dubbio, le 47 *Conclusiones secundum secretam doctrinam sapientum hebræorum* sono più interessanti dal punto di vista filologico, e meno da quello filosofico: servono molto più ad identificare le fonti di Pico ed a conoscere i presupposti della sua riflessione, che a comprendere la grandiosità del suo sforzo di pensiero. Chaim Wirszubski, ed i suoi allievi Moshe Idel e Carmia Schneider, hanno il merito di avere con grande puntualità seguito il percorso intellettuale di Pico, identificando i testi e gli autori su cui studiò la qabbalah: a questo riguardo bisogna rinviare al loro fondamentale volume PICO DELLA MIRANDOLA'S ENCOUNTER WITH JEWISH MYSTICISM, a cui si è attinto largamente per le note esplicative a questa serie di tesi.

L'altra serie, quella *secundum opinionem propriam,* è senza dubbio di gran lunga più interessante: si tratta infatti della originale e personale rielaborazione delle letture dei testi ebraici che sopratutto Flavio Mitridate (l'ebreo convertito Guglielmo Raimondo Moncada, uno dei suoi maestri di lingua e dottrina ebraiche) gli aveva fornito: l'interesse che rivestono è per molti versi fondamentale, ed è per questo il lettore le incontra per prime, in questa edizione.

Esse contengono *in nuce* l'insieme del complesso dottrinale che troverà espressione sistematica nell'*Heptaplus*, composto due anni dopo. Vi si incontrano in particolare gli assi portanti di quella teologia qabbalistico-cristiana che dopo la scomparsa del conte della Mirandola tanto interesserà, nel Cinquecento, filosofi e mistici, sopratutto di ambiente francescano.

Tali 72 tesi non sono ordinate secondo una consequenzialità rigorosa, o almeno essa non appare immediatamente evidente. C'è un particolare segnale, peraltro, che sembra suggerire qualche significato occulto. Il titolo che le introduce segnala 71 tesi, e non 72, quante effettivamente sono. Non si tratta di un banale errore: né le due edizioni incunabole, né i manoscritti coevi (incluso quello probabilmente usato per la stampa) correggono tale cifra, che resta anche nelle edizioni cinquecentine. È assai improbabile che si tratti di una svista sfuggita a Pico, ai suoi stampatori di Roma e di Ingolstadt (con cui fu direttamente in rapporto), ai numerosi copisti, agli editori degli secoli successivi.

Ci permettiamo di avanzare l'ipotesi che Pico abbia volutamente evitato di scrivere il numero 72 in quanto cifra sacra, propria della versione più ampia dello *šem hammeforaš* quel "nome espanso" di Dio di 72 lettere che si trova in Esodo 34:6-7, abitualmente impronunciabile al pari del Tetragramma, e che solo il Gran sacerdote aveva il diritto di proferire una volta l'anno nel Santo dei santi. Se tale fosse stata effettivamente, la scelta di Pico sarebbe dovuta al diretto rapporto che vi è, secondo la qabbalah, tra lettere e numeri. In parte ciò potrebbe trovare una conferma indiretta nel fatto che Pico prestava particolare attenzione alla mistica delle cifre: noi sappiamo, da una lettera di Pico a Girolamo Benivieni, che l'insieme delle *Conclusiones* fu portato da 700 a 900 proprio allo scopo di "*in eo numero ut pote mistico pedem sistere*" ("fermarsi a tal numero, in quanto mistico"). Il valore della serie finale di *Conclusiones cabalisticæ* risulta sicuramente rafforzato dal loro numero, a confermare che esse assommano in sé tutto il senso della sapienza esplicata nelle precedenti. D'altra parte, è assai probabile che Pico abbia volutamente evitato, per motivi mistico-religiosi, di scrivere esattamente il numero delle lettere componenti lo *šem hammeforaš*.

È per questo che nella presente edizione abbiamo provveduto a far precedere ciascuna delle 72 tesi *secundum opinionem propriam* dalla relativa lettera ebraica dello *šem hammeforaš* e dal valore numerico corrispondente, pur ammettendo di non essere ancora in grado di chiarire appieno, allo stato attuale degli studi, il significato del messaggio pichiano.

UNO SGUARDO SULLA QABBALAH

Pretendere di spiegare che cos'è la qabbalah in poche righe di introduzione sarebbe un'operazione, più che velleitaria, ridicola. Qui di seguito si danno poche informazioni utili per avvicinarsi al testo di Pico; altre e più sostanziose precisazioni saranno desumibili dalle note di commento alla *Conclusiones cabalisticæ*.

La qabbalah fiorisce nel XII secolo in Linguadoca: tra Lunel, Narbona e Posquières, alla scuola di Isacco il Cieco, furono formalizzati una serie di insegnamenti e di riflessioni in parte preesistenti, in parte elaborati originalmente che confluirono nel SEFER ZOHAR (Libro dello Splendore), che dalla fine del Duecento in poi sarebbe rimasto il testo principale per ogni approfondimento qabbalistico.

In quanto lettura mistica delle scritture sacre, la qabbalah ha ovviamente dei prodromi, che affondano le loro radici in tutto il complesso di riflessioni teologiche raccolte nel Talmud e nei *midrašim* (commentari alla Scrittura composti e raccolti il primo tra il II e IV secolo, i restanti tra il V ed il XII secolo dell'Era volgare), come il SEFER BAHIR (Libro della Chiarezza, probabilmente del III-IV secolo) ed il SEFER YEṢIRAH (Libro della

Creazione, forse del VII-VIII secolo dell'E.v.); convergono inoltre in essa spunti gnostici e neo-platonici.

La parola *qabbalah* significa ricezione, tradizione; i suoi seguaci ritengono si tratti della legge orale che Mosé ha ricevuta direttamente da Dio e che è stata tramandata a voce a pochi sapienti: si ritiene che se ne possa affrontare lo studio solo se si è maschi e si hanno più di 40 anni. Il chassidismo dell'Europa orientale è in larga misura tributario della qabbalah, anzi, in buona parte vi si identifica; in Italia il maggior centro qabbalistico (tra il Seicento e l'Ottocento) è stata Livorno: gli ultimi esponenti della scuola qabbalistica livornese furono Elia Benamozegh, scomparso agli inizi del nostro secolo, ed il suo allievo Alfredo Sabato Toaff z.l., che ha mantenuta viva la tradizione sin verso una trentina d'anni fa.

Benché non si possa parlare del qabbalismo come un complesso dottrinale unitario e coeso, poiché al contrario è ricchissimo di articolazioni differenziate, proviamo a tratteggiarne alcuni assi portanti, pur tenendo presente che i pensatori, nei secoli ed attraverso i luoghi, hanno dato interpretazioni a volte assai diverse su vari argomenti. Di tale varietà il lettore troverà una testimonianza anche nelle *Conclusiones* di Pico.

Il sistema qabbalistico dunque intende che tutti gli esseri siano emanati per distinzione dall'unità assoluta ed ineffabile, riassunta nel Tetragramma (YHWH, il nome sacro di Dio di quattro lettere). La creazione si articola pertanto dall'*en sof* (letteralmente il non finito, e quindi l'indistinto) in dieci gradi, che han nome *sefirot* (al singolare, *sefirah*). Esse sono la corona, *keter*, la sapienza, *ḥokhmah*, l'intelligenza, *binah*, la clemenza o pietà, *ḥesed*, la forza, o giustizia, *gevurah*, la gloria o bellezza, *tif'eret*, l'eternità o trionfo, *neṣaḥ*, lo splendore o decoro, *ḥod*, il fondamento, *yesod*, il regno, *malkhut*.

Ciascuna di esse corrisponde ad una *middah* o attributo divino, forma specifica della manifestazione di Dio, che si identifica in uno dei dieci nomi sacri del Signore, che l'albero sefirotico dà in quest'ordine: *eheyeh, y'ah, YHWH ṣeba'ot, 'el, elohim, YHWH, adonai ṣeba'ot, elohim ṣeba'ot, šaddai, adonai*.

Le *sefirot* possono essere raggruppate in triadi: la prima, puramente metafisica, (*keter, ḥokhmah, binah*) esprime l'unità indissolubile dell'essere, dell'uno (la corona) da cui emanano il principio attivo (che apre le 32 vie della sapienza) e quello passivo (che apre le 50 porte dell'intelligenza). La seconda triade, che ha carattere morale, vede la clemenza infondere la vita, la giustizia regolarla, e la gloria, o bellezza, riunirla armonicamente. La terza triade è quella della vita terrena, col trionfo che rappresenta il principio maschile, lo splendore quello femminile, il fondamento il loro mediatore (ma spesso è quest'ultimo a rappresentare la mascolinità, mentre la *sefirah* successiva è intesa come "sposa universale"). La *sefirah malkhut*, il regno, esprime comunque l'armonia che regna tra tutti gli attributi precedenti.

La prima triade e le altre sette *sefirot* vengono anche raggruppate in due *ma'asim* (opere): *ma'aseh berešit* (opera del principio, ossia della creazione) e *ma'aseh merkhavah* (opera del carro, dove il carro è quello mistico visto dal profeta Ezechiele); la *merkhavah* si articola nelle due triadi, superiore ed inferiore. Tale dottrina è già presente nel Talmud.

Le *sefirot* corrispondono inoltre alle dieci fondamentali membra umane, rappresentate nell'*adam qadmon*, l'uomo primordiale, secondo questa sequenza: sommità del capo, cervello, lingua, braccio destro, braccio sinistro, petto, gamba destra, gamba sinistra, membro virile, piedi.

La qabbalah cosidetta pratica poi si avvale (per la ricerca di particolari significati dapprima mistici, quindi esoterici e financo magici) di tecniche di permutazione alfabetica e numerica, agevolata dal fatto che in ebraico si usano le lettere dell'alfabeto come cifre per il calcolo. Tali tecniche (che tra l'altro anche Pico applica spesso) altro non sono che il tentativo di ridurre a qualcosa di esatto (il numero) la complessità delle cose del mondo sensibile e delle parole che descrivono quello metafisico: cose e parole che in ebraico si esprimono con lo stesso termine, *devarim*. In realtà esse danno spesso luogo alle invenzioni più arbitrarie, e sono alla base di deformazioni volgari (ad esempio, la cabala del lotto). Tecniche particolari e loro applicazioni saranno descritte più dettagliatamente nelle note.

LA VERSIONE CRISTIANA DELLA QABBALAH

La qabbalah cristiana, fenomeno peculiare del Rinascimento, ha numerosi prodromi. Raimondo Lullo, Arnaldo da Villanova hanno messo in rapporto le combinazioni di lettere e cifre con la lettura mistica delle scritture; altri, come Nicola di Lira, Raimondo Martini, Pablo de Heredia hanno usato concetti e saperi riconducibili in qualche modo al mondo della teologia e della mistica ebraiche da detrattori, animati da spirito antigiudaico. Per quanto concerne tali figure, nel migliore dei casi il loro sforzo (spesso motivato dal desiderio di farsi accettare pienamente dal mondo cristiano, in quanto ebrei convertiti) andava nel senso della cristianizzazione dell'ebraismo, e con esso di quel poco che immaginavano o sapevano della qabbalah. Nel caso più deteriore, era semplice uso a scopo polemico di dogmi o concetti ebraici allo scopo apertamente conversionistico da un lato e repressivo dall'altro.

Con Pico inizia un altro atteggiamento: quello della ricerca della sostanziale indentità tra mistica ebraica e dottrina cristiana, realizzata mediante gli stessi metodi usati dai qabbalisti per scoprire le verità nascoste della rivelazione. Tali metodi sono fondamentalmente di due tipi: la lettura anagogica della Scrittura e l'applicazione originale dell'operatività alfabetico-numerica sui testi.

In questo senso Pico è il vero fondatore della qabbalah cristiana, in quanto ritiene di scoprire conferme alla rivelazione cristiana nello stesso mondo della mistica ebraica e con i suoi stessi metodi esegetici: il suo epigono Arcangelo da Borgonovo arriverà ad operare qabbalisticamente addirittura sul valore delle lettere della versione latina del nome di Gesù.

In effetti, l'ispirazione cristiana che ritrova nel messia pervenutoci il sacrificio che assicura all'uomo la vita eterna, mediante la corresponsione della grazia, si riconnette bene a certe individuazioni qabbalistiche.

I punti di contatto sono importanti. Prima di tutto colpisce l'organizzazione trinitaria delle *sefirot* e sopratutto l'identità tra unità divina e terne sefirotiche. Ma è fondamentale anche l'idea della vita eterna del giusto e del santo, premiata dal Signore col riconoscere permanente nel suo seno l'individualità del santo stesso (laddove per "santo" è da intendersi semplicemente, dal punto di vista qabbalistico, colui che osserva i precetti) mediante il premio dello "specchio lucente" (*tif'eret,* la quinta *sefirah*) quel sole di bellezza e splendore che tanto ri-

23

corda l'immagine dantesca della luce eterna in cui si circonfondono i beati.

Pico è perfettamente cosciente della novità della sua intuizione. Più volte inoltre argomenta nel modo seguente: *"quicquid dicant ceteri, alii cabalistae, ego..."*.

Primo pensatore cristiano di nascita a leggere nei libri di qabbalah, Pico si considera un qabbalista al pari degli altri *"secretiores theologi"*, con i quali intende dialogare non tanto con scoperto o subdolo intento conversionistico (che peraltro talvolta riaffiora, non nelle *Conclusiones*, ma piuttosto nell'*Heptaplus* e nell'*Apologia*) quanto perché mosso dall'urgenza interiore di ricerca di quella superiore verità che può assicurare, con l'unità della conoscenza, il ricongiungimento con l'anima universale e la beatitudine che ne può scaturire.

Merita concludere queste note introduttive citando uno dei punti più alti della riflessione di Pico, il ricorso (poetico e mistico e filosofico insieme) al concetto, biblico e qabbalistico e platonico, della *"mors osculi"*, la "morte di bacio" che altro non è che una delle possibili definizioni dell'estasi. L'originalità dell'esperienza suggerita da Pico, negata nella mistica cristiana, sopratutto successiva al concilio tridentino, è la definizione dell'estasi come rapporto erotico tra due soggetti, concezione questa del tutto in accordo con quella qabbalistica del matrimonio mistico tra *yesod* (il fondamento, la virilità) e *knesset Isra'el* (la comunità dei fedeli).

In grazia di tale concezione due amanti (uno celeste ed uno terreno, nel caso ripreso da Pico) muoiono misticamente insieme separandosi per un attimo dagli accidenti del mondo sensibile, nel trasporto erotico (sia nel senso più propriamente platonico, di piacere spirituale, che nel senso religioso, di distacco dell'anima dal corpo materiale) che li coglie nell'atto dello scambio del bacio mistico, tema sintetizzato da Pico nelle tesi 11 e 13 *"secundum opinionem propriam"* ed ampliato nel *"Commento ad una canzona d'amore di Girolamo Benivieni"*. Il recupero ad una dimensione cristiana di questa vera e propria ierogamia insomma sembra essere uno degli apporti più originali che Pico mutua al cristianesimo dalla qabbalah, uno degli strumenti più efficaci della sua tanto ricercata ascensione alla *"pax unifica"*.

BIBLIOGRAFIA

Si dà qui di seguito una bibliografia elementare, che può servire a documentarsi meglio su alcuni dei temi trattati: in particolare, su Giovanni Pico e sulla qabbalah. Il maggior studioso di Pico rimane Eugenio Garin, dei cui insegnamenti questo lavoro è tributario. Alle sue opere, alle sue edizioni ed alle sue ricerche dovrà ricorrere chi voglia documentarsi con ragione su Pico, il suo pensiero ed il suo tempo. Analogamente, chi voglia documentarsi a livello scientifico sulla qabbalah non potrà far a meno di consultare le opere di Gershom Scholem (e, tra gli italiani, di A.M. Di Nola); per un primo approccio invece sarà sufficiente ricorrere al volumetto di A. Safran, o alla monografia di H. Serouya.

a - opere di G.Pico

G. PICO DELLA MIRANDOLA, *De hominis dignitate, Heptaplus, De ente et uno e scritti vari*, Firenze 1942, a cura di E. Garin.
ID., *Conclusiones sive Theses DCCCC Romae anno 1486 publice disputandae sed non admissae, editio critica*, texte établi par Bogdan Kiezkowski, Ginevra 1973.

b - opere su G. Pico

AA. VV., *L'opera e il pensiero di Giovanni Pico della Mirandola nella storia dell'Umanesimo*, Firenze 1965.

E. GARIN, *Giovanni Pico della Mirandola, vita e dottrina*, Firenze 1937.

ID., *Ritratti di umanisti*, Firenze 1967.

ID., *La cultura filosofica del Rinascimento italiano*, Firenze 1994.

CH. WIRSZUBSKI, M. IDEL, *Pico della Mirandola's encounter with jewish misticism*, Gerusalemme 1989

c - opere sulla qabbalah

F. SÉCRET, *Le kabbalistes chrétiens de la Rénaissance*, Parigi 1963.

A. SAFRAN, *La Kabbalà*, Roma 1980.

G. G. SCHOLEM, *La kabbalah e il suo simbolismo*, Torino 1980.

A. M. DI NOLA, *Cabbala e mistica giudaica*, Roma 1984.

H. SEROUYA, *La Cabala*, Roma 1989.

G.G. SCHOLEM, *Le origini della kabbalà*, Bologna 1990.

CRITERI DI TRADUZIONE
E TRASLITTERAZIONE

La traduzione italiana delle *CONCLUSIONES* si sforza di rendere intelligibile il testo latino di Pico e le pur rade citazioni dall'ebraico: è pertanto poco letterale. Il problema della grafia dei termini ebraici usati da Pico è stato risolto normalizzandoli, comunque fossero scritti, secondo i criteri della traslitterazione fonetica (senza accentazione) accompagnata per lo più dalla grafia ebraica, talvolta essenziale per comprendere implicazioni numeriche di varie parole.

I termini in ebraico ed in latino sono comunque evidenziati in corsivo, salvo la ricorrente parola "qabbalah". Per essa e per i suoi derivati adottiamo tale grafia (piuttosto che la più comune "cabala") sopratutto per evitare fraintendimenti, tanto più nel nostro caso, in cui il termine assume in italiano i valori semantici più vari e bizzarri.

Nomi propri di profeti, patriarchi e libri scritturali sono stati resi secondo la grafia comune; testi utilizzati o citati sono in maiuscoletto. Quanto ai nomi sacri, si è scelto di scrivere con la lettera maiuscola solo quelli propri (Dio, Gesù, Tetragramma, Signore, ecc.), e non gli attributi o le persone (padre, figlio, spirito santo, ecc.). Il Tetragramma (YHWH) è stato reso con le sole consonanti maiuscole.

Un tributo di ringraziamento è dovuto a Renzo Cabib, al quale chi scrive deve la conoscenza della lingua ebraica; a rav Isidoro Kahn, che ha rivisto il manoscritto; a Daria Razzani per l'aiuto affettuoso, non solo nell'interpretazione del testo pichiano.

GIOVANNI PICO DELLA MIRANDOLA

CONCLUSIONI CABALISTICHE

PARTE PRIMA

LE 72 CONCLUSIONI QABBALISTICHE "SECUNDUM OPINIONEM PROPRIAM"

I   ל   30
Qualsiasi cosa sostengano tutti gli altri qabbalisti,
la prima distinzione interna della qabbalah in
scienza dei nomi e scienza delle *sefirot* la equipare-
rei alla distinzione in scienza speculativa e scienza
pratica[1].

II   א   1
Qualsiasi cosa sostengano alcuni altri qabbalisti, io
dividerei la parte speculativa della qabbalah nella
corrispondente quadruplice partizione della filosofia che son solito addurre. Definisco la prima

1. Per Pico, che mutua questa distinzione dal qabbalista del
   XIII secolo Abulafia, (cfr. M. IDEL, *L'esperienza mistica
   in Abraham Abulafia*, Milano, 1992, p. 46) la "scienza dei
   nomi" (*scientia šemot*) è quella che opera sui nomi di Dio,
   con l'effetto di procurare conoscenza mistica metafisica, e
   quindi speculativa. L'altra scienza, invece, che segue l'intelletto razionale, come affermerà nella tesi XII, è quella
   delle *sefirot* (al singolare: *sefirah*), termine la cui radice
   SFR (ספר) può esser ricondotta ad un'area semantica che
   coinvolge i tre significati di sfere/cifre/zaffiri, e quindi perfezione geometrico-spaziale, completezza numerica, bellez-
   za/splendore/preziosità. Nella sua valenza mistico-teologi-
   ca, il termine *sefirah* indica ora qualità coessenziali, ora
   modi di essere, o di manifestarsi, di Dio, ora serie numeriche, a seconda delle epoche e delle scuole qabbalistiche. La
   sequenza delle *sefirot* più accettata è quella fissata alla
   scuola di Narbona da Isacco il Cieco verso il XIII secolo.

"scienza della permutazione alfabetica"[2], corrispondente alla parte che chiamo filosofia universale; la seconda, terza e quarta parte costituiscono la triplice *merkhavah*[3], che corrisponde alle tre branche particolari della filosofia, attinenti alle nature divina, media ed umana.

2. La permutazione alfabetica, in Pico *"revolutio alfabetaria"*, consiste nelle tecniche di permutazione di lettere e numeri che si incontrano nella qabbalah, in varie epoche ed in vari autori. Esse sono tre: *temurah, gemaṭriah e noṭarikon*. Propriamente, in questo caso, Pico sembra riferirsi alla *temurah* ed al *noṭarikon*, più che alla *gemaṭriah*, che opera trasformando lettere in numeri e viceversa. Il *noṭarikon* (sia detto sommariamente) considera le lettere d'ogni parola come un acrostico, e viceversa; la *temurah* tende soprattutto a sostituire secondo regole particolari certe lettere dell'alfabeto con certe altre. La filosofia universale (*philosophia catholica*) è la disciplina mediante la quale si può conoscere la verità, così come la *"revolutio alfabetaria"* svela i misteri della creazione. È questo un assunto che si ritrova nel SEFER YEṢIRAH, quel "Libro della Creazione" che all'epoca di Pico si riteneva esser stato composto dal patriarca Abramo, mentre oggi si sa essere stato scritto tra il II ed il VI secolo dell'E.V. Cfr. Scholem 1980, 214 sgg.

3. La *ma'aseh merkhavah* (opera/mistica del carro, scil. del profeta Ezechiele) è una delle due branche della qabbalah, e si articola in *merkhavah* divina, delle potenze e delle idee prime. L'altra branca si chiama *ma'aseh bereśit* (opera/mistica della creazione) e si occupa, appunto, di conciliare la lettera della Torah con la lettura qabbalistica della creazione. La "triplice *merkhavah*" di Pico in questo caso è la tria-

III   ל   30

La parte pratica della qabbalah intesa come scienza concerne l'insieme della metafisica formale e della teologia inferiore[4].

IV   פ   80

L'*en-sof* non è collegabile alle altre *middot*, poiché è l'unità astratta, a loro preliminare, e ad esse non coordinato né collegato[5].

V   '   10

Qualsiasi ebreo qabbalista che segua i principi e la lettera della scienza della qabbalah è inevitabil-

---

de iniziale dell'albero sefirotico, formata da *keter, binah* e *hokhmah* (corona, intelligenza e sapienza).

4. Metafisica formale è la teologia dei nomi (le forme di Dio esaminate dalla scienza dei nomi); teologia inferiore, sempre secondo Pico, che qui come altrove segue lo Pseudo Dionigi Areopagita, è quella che definisce Dio a partire dagli attributi divini, quelle *middot* che vengono dopo i dieci nomi di Dio, essendone da essi significate, e che in questo senso sono inferiori. La *middah* (al plurale *middot*) è l'aspetto di una *sefirah* nel suo configurarsi come attributo divino. In parte coincidenti con le *sefirot*, in parte estensione del loro valore mistico, le *middot* sono concepite dai qabbalisti delle varie scuole con la più ampia libertà inventiva.

5. *En-sof*, propriamente "non-finito", è un concetto affine all'*apeiron* degli gnostici, e non va inteso come l'infinito delle filosofie moderne. È un ente preliminare alla creazio-

mente costretto ad ammettere la trinità e ciascuna delle persone divine, padre figlio e spirito santo, e ciò esattamente, senza aggiunte, diminuzioni o variazioni, secondo gli assunti del cattolicesimo.

Corollario: Non solo chi nega la trinità, ma anche chi la pone in modo diverso dalla dottrina cattolica, come Ariani, Sabelliani e simili, possono essere con chiarezza ricondotti all'ortodossia, se ammettono i principi della qabbalah[6].

VI   מ   40

I tre grandi nomi di Dio di quattro lettere che si incontrano per mezzo di un miracoloso trasferimento di proprietà nei libri segreti dei qabbalisti vanno fatti corrispondere alle tre persone della trinità così: Eheyeh אהיה è il padre, il nome di

ne, ed in quanto tale è essenza di Dio in sé. Cfr. Sholem, 1990, pp. 328-333.

6. Questa tesi e le successive VII ed VIII, al pari di numerose altre che si occupano del mistero della trinità, oltre che di Cristo come messia che anche gli ebrei debbono riconoscere, si spiegano in genere mediante complicati calcoli ghematrici, non sempre perfettamente chiari. I seguaci di Ario (IV sec. dell'era volgare) affermavano la divinità della sola figura del padre, negando di conseguenza quella del figlio e dello spirito santo; Sabellio (teologo del III secolo dell'Era volgare) sosteneva che le persone della trinità erano da intendersi come modalità o aspetti con cui Dio si rivela, e non come vere e proprie distinzioni.

YHWH יהוה è il figlio e Adonai אדני lo spirito santo. Lo può capire chi ha molto approfondito la
qabbalah[7].

VII   ב   50

Nessun ebreo qabbalista potrà negare che il nome
di Gesù ישׁ *Yešu*, interpretato secondo i metodi ed i
principi della qabbalah, significa tutto ciò che segue, e null'altro di più: Dio figlio di Dio e sapienza
del padre per via della terza persona della divinità,
che è ardentissimo fuoco d'amore.

VIII   שׁ   300

Dalla precedente tesi si può capire perché Paolo
abbia detto "È stato dato nome Gesù ישׁ", nome al di
sopra d'ogni altro", e perché sia stato detto che in
nome di Gesù si piega ogni genere di creatura,
celeste, terrestre ed infernale, altra cosa del tutto
coerente con la qabbalah, e chi l'ha approfondita la
può capir da sé.

IX   א   1

Se v'è qualche congettura umana plausibile sul futuro, mediante le occulte vie della qabbalah possia-

---

7. *Ehyeh* significa "sarò"; יהוה (YHWH, *Yod He Waw He*) è il
   Tetragramma, nome impronunciabile di Dio; אדני (*adonai*)
   significa "mio Signore".

mo trovare che la consumazione dei secoli avverrà
da qui a 514 anni e 25 giorni[8].

X   ע   70

Ciò che i qabbalisti chiamano *ḥokhmah* è indubbia-
mente ciò che Orfeo chiama "Pallade", Zoroastro
"mente paterna", Ermete Trismegisto "progenie del
dio", Pitagora "sapienza", Parmenide "sfera intelligibile"[9].

XI   ו   6

Il modo con cui le anime razionali si sacrificano
a Dio per mezzo dell'arcangelo, che i qabbalisti
non descrivono, si verifica per via della separazione dell'anima dal corpo, non del corpo

8. Dato che Pico pubblica le sue 900 tesi con la data del 12 novembre 1486, è probabile che la data prevista dal filosofo mirandolano per la fine del mondo sia l'otto dicembre dell'anno
2000.

9. La *sefirah ḥokhmah* rappresenta la sapienza, ed in quanto tale
ben si attaglia ai vari concetti ed entità che Pico cita, e che ri-
tornano nel COMMENTO AD UNA CANZONE D'AMORE DI GIRO-
LAMO BENIVIENI (Pico 1942, 466). È questo uno dei numerosi
esempi di attuazione del disegno intellettuale di *concordia
universalis* che Pico persegue, tentando di ricondurre ad una
visione unitaria le esperienze di pensiero più disparate, per
integrare le varie concezioni all'epoca sua motivo di dissidio
tra i dotti, mediante una ricerca filosofica pacificatrice delle
divergenze, in nome "del senso dell'unità, dell'amore come
forza unitrice delle cose e degli uomini" (Garin 1967, 202).

dall'anima, se non "per accidens", come si vede nella morte di bacio, di cui sta scritto "Preziosa al cospetto del Signore è la morte dei suoi fedeli"[10].

XII ‫נ‬ 50
Non è in grado di operare mediante l'autentica qabbalah chi non adopera l'intelletto razionale.

10. Il tema dell'offerta sacrificale di sé a Dio (qui ripreso da Sal.116:15-16) è toccato da Pico anche nella *Conclusio I secundum secretam doctrinam sapientum hebræorum*. La "morte di bacio", in latino "*mors osculi*", in ebraico ‫בנשיקה‬ (*benešyqah*) che si incontra anche nella *Conclusio XLIV secundum secretam doctrinam etc.* è un tipico esempio di intreccio tra temi platonici e qabbalah. Il tema, che si ritrova anche nel COMMENTO AD UNA CANZONE D'AMORE DI GIROLAMO BENIVIENI, è appunto in Pico il rapporto estatico in cui due amanti, uno terreno ed uno celeste, raggiungono la comunione del corpo e dello spirito, come nel Cantico dei cantici avviene per Salomone e l'amata, che la lettura anagogica identifica in Dio ed Israele, (Pico vi aggiunge nel COMMENTO citato anche Platone ed Agatone, l'interlocutore del CONVITO). Il mirandolano scrive che l'estasi (da intendersi anche come separazione temporanea dell'anima dal corpo, ed in questo senso è "*mors*") si raggiunge solo nel bacio "perché ogni altro congresso o copula più in là usata nello amore corporale non è licito [...] per traslazione alcuna usare in questo [...] santissimo amore" (Pico 1942, 557-558).

XIII   ו   6

Chi opera mediante qabbalah senza la presenza di alcun estraneo, se si eserciterà a lungo morirà nell'estasi, e se sbaglierà qualcosa, nel suo operare, o non vi si avvicinerà in stato di purezza, sarà divorato da Azazel[11], in virtù delle proprietà della qabbalah stessa.

XIV   פ   80

Per mezzo della lettera *š in* שׁ, che sta al centro del nome di Gesù, ci viene qabbalisticamente comunicato che il mondo fu integralmente in pace, raggiungendo la sua perfezione, quando lo *Yod* י si congiunse col *Waw* ו, cosa che è avvenuta in Cristo, che fu vero figlio di Dio ed uomo.

XV   שׁ   300

Per mezzo del nome ineffabile YHWH יהוה, che i qabbalisti sostengono essere il nome del messia che deve venire, si comprende con tutta evidenza che lui sarebbe stato Iddio figlio di Dio grazie allo spirito santo, e che dopo di lui il paracleto sarebbe disceso sugli uomini, a render perfetto il genere umano.

---

11. Si è tradotto con "estasi" il termine "*binsica*" adottato da Pico e corrispondente a "*benešiqah*", la "*mors osculi*" della tesi XI: per raggiungerla lo spirito razionale che aspira al distacco dell'anima dal corpo deve essere solo. Azazel nella demonologia cristiana è una delle sette epifanie di Satana.

XVI   ע   70
Dal mistero delle tre lettere contenute nella parola
šabbat שבת possiamo chiarire qabbalisticamente che
oggi si sabbatizza il mondo, dato che il figlio di Dio
s'è fatto uomo, e che da ultimo sarà il sabato, quando
gli uomini saranno rigenerati nel figlio di Dio[12].

XVII   ו   6
Chi saprà che valore ha il vino purissimo per i qabbalisti, saprà perché David ha detto "M'inebrierò
delle ricchezze della tua casa", ed in che senso
l'antico vate Museo abbia detto che l'ebbrezza è
felicità, e che cosa significhi tutta la presenza bac-
chica in Orfeo[13].

12. Questa tesi e le due precedenti toccano motivi fondamen-
    tali per la qabbalah cristiana. Il simbolismo della lettera *šin*
    ש infatti, in quanto iniziale del termine שבת, (*šabbat*, festa
    di sabato) introduce il concetto di pacificazione, riposo e
    santificazione della festa, interruzione dell'abituale corso
    della storia umana per inaugurare l'era dell'avvento del
    messia. Tale lettera inoltre assumerà un valore particolare
    in Johannes Reuchlin, che nel DE ARTE CABALISTICA, (Basi-
    lea 1517, rist. an. Stuttgart 1964, pp.131 e 268) inserendola
    al centro del Tetragramma inventerà un nuovo nome ebrai-
    co di Gesù, ed insieme un nuovo modo di significare il Pa-
    dre (YHWH, יהוה) col Figlio: YHŠWH יׁשוה, nome inesi-
    stente in ebraico, ma da pronunziarsi "Yehšuh".
13. Come in Platone e nei neoplatonici, anche presso i qabbali-
    sti si incontra la distinzione tra l'ebbrezza come possessione

XVIII ח 8

Chi metterà in rapporto astrologia e qabbalah vedrà
che da Cristo in poi è più appropriato sabbatizzare
e riposare di domenica che di sabato.

XIX ט 9

Se interpretiamo qabbalisticamente quel detto del
profeta "Hanno venduto il giusto per denaro" esso
non significherà altro che questo, cioè che il Dio
redentore fu venduto per denaro[14].

XX א 1

Se i qabbalisti approfondiranno la loro interpretazione
di questa parola, 'az אז, che significa "allora", saranno parecchio illuminati sul mistero della trinità[15].

divina, e come eccesso volgare. Nella sesta tesi "*secundum
propriam opinionem de intelligentia dictorum Zoroastris*"
Pico per esemplificare ricorre all'antitesi tra Bacco e Sileno.

14. Pico riprende qui quanto scrive il suo maestro Flavio Mitridate, nel "SERMO DE PASSIONE DOMINI" (ed. Wirszubski, Gerusalemme 1963, p.86) che cita ZACCARIA 11:12 ed AMOS
2:6, riguardo alla vendita come schiavi di uomini giusti, fa-
cendone una profezia della vicenda di Giuda Iscariota.

15. La prima lettera, *alef* א, rappresenta la iniziale triade sefi-
rotica (sia perché iniziale, sia perché costituita da tre elementi, due punti -il padre ed il figlio- ed una barra trasver-
sale -lo spirito santo- che contemporaneamente li unisce e
li mantiene distinti), mentre la seconda, *zayn* ז, che numeri-
camente vale 7, indica appunto le rimanenti *sefirot,* e quin-

Chi metterà in rapporto i vari detti dei qabbalisti che dicono che quella *middah*, che è detta "giusto e redentore", ed anche *Zeh*, col detto talmudico secondo cui "Isacco andava come uno *Zeh*, portando la sua croce" vedrà che ciò che venne prefigurato in Isacco fu compiuto in Cristo, il vero Dio venduto per denaro[16].

di la completezza della creazione. Dato inoltre che tale lettera simboleggia anche l'organo fecondatore, essa rappresenta la fecondazione spirituale dell'umanità operata dalla trinità mediante l'avvento del messia.

16. La mistica del legno nel rapporto tra mancato sacrificio di Isacco e sacrificio della croce era da tempo presente nella trattatistica cristiana: in particolare Raimondo Martini, nel "PUGIO FIDEI", opera del XII secolo, ne aveva fatto uno strumento di polemica antigiudaica. Pico anche qui segue Flavio Mitridate, "SERMO, etc.", cit., p.115. Da ricordare che Gesù di Nazaret è detto, in ebraico, 'iš hazeh ("quell'uomo", o più semplicemente *zeh*, "costui"). La *middah* che rappresenta Isacco è *pahad gevurah,* giustizia e forza. Le sette tesi che seguono, dalla XXI alla XXVII compresa, costituiscono l'esempio più proprio dello sforzo di Pico di fornire una lettura cristianizzante dei testi scritturali ebraici. In altri termini tali tesi partono tutte da interpretazioni, accettate in particolare da numerosi qabbalisti, per infonder loro un nuovo significato, che non si limita a confermare la fede cristiana, (come avviene presso i polemisti precedenti e successivi a Pico) ma la integra a pieno nella versione qabbalistica del giudaismo.

XXII ‫ו‬ 6

Per mezzo di quanto detto dai qabbalisti su Esaù che era fulvo, e di quanto si legge nel Berešit Rabba, "Esaù era rosso di capelli, ed uno rosso lo castigherà", che viene spiegato come "poiché è rosso il tuo vestito" si capisce chiaramente che il Cristo, al quale i dottori della chiesa applicano lo stesso testo, è proprio colui che "castigherà i poteri immondi"[17].

XXIII ‫ג‬ 50

Per mezzo del detto di Geremia "Lacerò il suo verbo" secondo l'interpretazione dei qabbalisti dobbiamo intendere che Dio stesso sacrificò tragicamente Dio santo e benedetto a pro dei peccatori[18].

XXIV ‫ק‬ 100

Per mezzo della risposta dei qabbalisti alla questione "perché nel Numeri il passo della morte di Maria è congiunto a quello della giovenca rossa?", e mediante la spiegazione che loro danno del passo in

17. Il Berešit Rabbah è un *midraš*, ossia un trattato talmudico di commento allegorico alla Torah. del II secolo dell'Era volgare. La punizione di Esaù, ossia di una figura negativa, avverrà ad opera di una persona vestita di rosso, come sarà l'abito insanguinato del Cristo, a simboleggiare insomma la punizione del male.

18. In altri termini Pico legge nel detto di Geremia l'anticipazione del sacrificio che il Dio padre (soggetto di "lacerò") avrebbe fatto di Dio figlio (il "suo verbo", nel testo pichiano *"verbum suum"*).

cui Mose contro il peccato del vitello disse "Distruggimi", e grazie al detto, riguardo a tale testo, dello ZOHAR "E siamo stati risanati del di lui livore" vengono inevitabilmente messi in guardia quegli Ebrei che non accettano che la morte di Cristo sia avvenuta per scontare i peccati del genere umano[19].

XXV ה 5

Tutti i qabbalisti devono ammettere che il Messia li avrebbe liberati dalla cattività diabolica, non da quella temporale.

XXVI ל 30

Qualsiasi qabbalista deve ammettere, in grazia di quanto apertamente affermano i savi esperti in tale scienza, che il peccato originale verrà espiato nell'avvento del Messia.

XXVII א 1

Dai principi qabbalisti si evince con chiarezza che con l'avvento del Messia viene eliminata la necessità della circoncisione.

19. Nel passo che Pico cita (NUM.19 - 20,1) gli ebrei sacrificano una giovenca rossa per espiare il peccato del vitello d'oro: contemporaneamente, muore Maria sorella di Mosé ed Aronne. Entrambi, sacrificio e morte, sono simbolicamente letti come espiativi del peccato d'idolatria, entrambi sono ritenuti simboli anticipatori del sacrificio del Cristo.

XXVIII ' 10

Grazie alla parola את ('*et*) che s'incontra per due volte nel testo del Genesi "in principio Dio creò il cielo e la terra" io credo che Mosé volesse significare la creazione della natura intellettuale e di quella animale, che precedette l'ordine naturale della creazione del cielo e della terra.

XXIX נ 50

Quanto sostenuto dai qabbalisti, ossia che una linea verde circonda l'universo, si attaglia perfettamente all'ultima tesi della nostra serie su Porfirio[20].

XXX ק 100

In base ai loro stessi principi i qabbalisti devono ammettere che il vero Messia che verrà sarà tale da doversene dire che è Dio e figlio di Dio.

XXXI ה 5

Quando i qabbalisti pongono nella *tešuvah* la mate-

---

20. Nell'ultima della serie su Porfirio delle sue 900 *Conclusiones* Pico afferma che Dio è dovunque, poiché non è specificamente in nessun luogo. Ciò è affine alla concezione qabbalistica della divinità come una sfera infinita, il cui centro è ovunque, mentre la circonferenza che separa la parte superiore da quella inferiore (la linea verde dei qabbalisti, significante la *binah*, ossia la *sefirah* dell'intelligenza) è in nessun luogo determinato.

ria informe non bisogna intenderla come materia senza la forma, ma piuttosto come materia allo stadio antecedente alla attribuzione della forma[21].

XXXII ‫פ‬ 80
Se congiungiamo le due lettere *alef* che sono nel testo "Lo scettro non si dipartirà da Giuda, etc." con le altre due che stanno nel testo "Iddio mi ha fecondata in principio, etc." e le altre due nel testo "La terra era sterminata e vuota, etc." grazie al metodo della qabbalah comprendiamo che Giacobbe parla di quel vero messia che fu Gesù nazareno[22].

21. La *teŝuvah* (penitenza) è, secondo alcuni qabbalisti, la terza *sefirah,* altrimenti detta *binah,* o intelligenza. In questa tesi per "materia informe" (in latino *informitas*) Pico sembra intendere il biblico *"tohu wabohu"* del GENESI 1:2, che le traduzioni italiane rendono con "terra sterminata e vuota", od anche "deserta e disadorna". Si tratta insomma del caos primordiale a cui l'intelligenza di Dio attribuisce le forme della realtà. È appena il caso di annotare che tale tesi riconferma una volta di piú la sostanziale coincidenza tra qabbalah e concezione platonica del rapporto tra forma e materia.

22. La lettera ‫א‬ *alef* s'incontra due volte nei versetti GEN.49:10, PROV. 8:22 e GEN.1:2. Più in particolare, il primo passo concerne il discorso di Giacobbe ai figli, quello dal PROVERBI concerne la sapienza, che cristologicamente parlando rappresenta la figura del figlio, ed il terzo è qabbalisticamente inteso come un riferimento all'avvento del messia. Perciò Pico ritiene che i tre passi abbiano un collegamento tra di loro, grazie alla chiave rappresentata dalle due *alef.*

XXXIII ק 100

Per mezzo della parola איש *'ish*, (che significa uomo), attributo di Dio quando vien detto "guerriero", veniamo resi edotti perfettamente del mistero della trinità per via qabbalistica[23].

XXXIV ד 4

Per mezzo del nome trilittero הוא *hu'*, nome attribuito perfettamente ed in modo assai appropriato a Dio, e non solo presso i qabbalisti, che lo dicono apertamente spesso, ma anche presso l'opera teologica di Dionigi l'Aeropagita, ci viene reso chiaro per via qabbalistica il mistero della trinità insieme con la possibilità dell'incarnazione[24].

XXXV ע 70

Se Dio viene inteso come uno ed infinito, in sé e per sé, cosicché concepiamo che da lui non proce-

---

23. La parola איש *'iš* (uomo) può esser letta come l'acronimo di אהיה Eheyeh, שבת *šabat*, יהוה YHWH, traducibile con "Colui che sarà sabbatizzò il Tetragramma"; cfr. supra la tesi VI (e n.) ed infra la tesi LIX (e n.). Iddio è detto "uomo combattente" (איש מלחמה, *'iš melḥamah)* in Es.15:3.

24. Il termine ebraico significa "Lui". La valenza mistica delle lettere è la seguente: ה *he* rappresenta lo spirito santo, ו *waw* è l'albero della vita, il figlio, mentre א *alef* rappresenta l'unità ed il principio, identificabili con la corona, la *sefirah keter* posta appunto a coronamento del figlio e dello spirito santo.

de niente, ma anzi procede la separazione dalle cose, la totale chiusura di sé in se stesso ed un'estrema ritrazione, profonda e solitaria, nel lontanissimo recesso della sua divinità, allora concepiamo Dio stesso come se si costringesse del tutto interiormente all'abisso delle sue tenebre ed in nessun modo si manifestasse nella espansione e nella profusione delle sue bontà e della sua fontana di splendore.

XXXVI ו 6

Dalla tesi precedente si può comprendere perché presso i qabbalisti si dice che Dio indossò dieci abiti quando creò il mondo sensibile[25].

XXXVII ז 50

Chi avrà compreso la subordinazione della pietà alla sapienza, nell'incolonnamento a destra dell'albe-

25. In altri termini, dopo che nella tesi 35 Pico ha affermato (negando le conseguenze del contrario) la propria adesione ad una visione neoplatonizzante (Dio come promanante da sé tanto il mondo sensibile, ossia l'espansione, quanto quello spirituale, la fontana di splendore, cosa che implica l'identità di ente ed uno) il pensatore riconnette immediatamente tale visione (che tra l'altro corrisponde alla rappresentazione abituale che i qabbalisti danno dell'*en sof,* il non-finito primordiale) ai "dieci abiti" dei qabbalisti, le dieci *sefirot* intese non come essenze, ma come attributi, le *middot* con cui Dio si manifesta agli uomini. Cfr. anche DE ENTE ET UNO AD ANGELUM POLITIANUM, in Pico 1942, 397-399.

ro sefirotico, comprenderà perfettamente per via di qabbalah in che modo Abramo nel suo giorno vide per mezzo d'una linea retta il giorno di Cristo, e ne gioì[26].

XXXVIII א   1

Gli eventi susseguitisi alla morte di Cristo debbono convincere qualsiasi qabbalista che Gesù Nazareno fu il vero messia.

---

26. Pico scrive "*in dextrali coordinatione subordinationem pietatis ad sapientiam*". Tale "*dextralis coordinatio*" corrisponde alla parte destra del seguente incolonnamento dell'albero sefirotico:

keter

binah   hokhmah

gevurah   hesed

tif'eret

hod   nesah

yesod

malkhut

La parte destra per chi guarda mostra la *hesed* (*pietas*, in Pico) al di sotto della *hokhmah*, la sapienza. L'affermazione della tesi si riconnette probabilmente ad una visione di Giovanni, 8:56, in cui l'evangelista parla del "*dies Christi*" come di quello della sapienza. La *pietas / hesed*, quarta *sefirah*, simboleggiante la *pietas* religiosa, l'amor di Dio, ed anche il "giorno di Abramo" secondo numerosi qabbalisti, discende quindi direttamente dalla sapienza. La stessa tematica s'incontra nella successiva tesi XLII.

XXXIX ב 2

Da quest'ultima tesi, e dalla trentesima più sopra, segue che qualsiasi qabbalista deve ammettere che Gesù, interrogato su chi fosse, fece benissimo a rispondere "Io sono il principio, io che vi parlo"[27].

XL ו 6

I qabbalisti debbono ammettere in modo incontrovertibile che il vero Messia monderà gli uomini con l'acqua.

XLI ת 400

Per mezzo del mistero della *mem* chiusa nella qabbalah si può scoprire perché dopo di sé Cristo inviò il paracleto[28].

27. Giov.8:25; ma le traduzioni moderne non concordano con tale traduzione, e ne rendono impossibile la lettura anagogica. Nella qabbalah principio e sapienza sono concetti intercambiabili: perciò per il qabbalista cristiano Gesù concepito come sapienza è anche principio. Cfr. anche la *Conclusio XXV secundum secretam doctrinam sapientum hebræorum*. Le tre tesi 38-40, e la 46, si riconnettono, senza evidenti segni di originalità, ad argomentazioni tipiche della letteratura polemica cattolica antigiudaica, peraltro rovesciata da Pico nella sua valenza negativa, poiché egli intende evidenziare non l'anticristianesimo del giudaismo, ma al contrario la sua intrinseca cristianità.

28. La lettera ebraica *mem* si scrive in due modi: è aperta all'inizio ed in corpo di parola, מ, mentre è chiusa in posizione fi-

XLII ע 70

Per mezzo dei fondamenti della qabbalah si viene a sapere quanto correttamente abbia detto Gesù: "Prima che nascesse Abramo, io sono"[29].

XLIII ל 30

Per mezzo del mistero delle due lettere, *Waw* e *Yod*, si viene a sapere come lo stesso Messia, in quanto Dio, fu principio di sé come uomo[30].

XLIV ב 2

Dalla qabbalah si viene a sapere, per via del miste-

nale, ם. Essa però appare chiusa in posizione intermedia in ISAIA 9:6, nella parola לסרבה *lemarbeh* (scil. "per accrescere"). L'eccezione grafica s'interpreta generalmente nel senso che la chiusura della *mem* in corpo di parola indica la conclusione, cioè il perfezionamento che segue all'avvento del messia mediante la discesa dello spirito santo.

29. GIOV. 8:58. Infatti, se Abramo corrisponde alla quarta *sefirah, hesed*, Cristo è la seconda, *hokhmah*.

30. Questa tesi si ricollega ad altre (in particolare, la XIV e la XVI): י *yod* e ו *waw* sono la prima e l'ultima consonante del nome ebraico di Gesù (ישי), e la prima e terza del Tetragramma (יהוה) Più in particolare, la *waw* rappresenta l'*arbor vitæ*, origine della vita umana, mentre la *yod*, (י) lettera minuscola simile ad un apostrofo, è qabbalisticamente interpretata come la cellula elementare costitutiva di ogni altra lettera dell'alfabeto ebraico, ed in quanto tale rappresenta Iddio padre creatore.

ro della parte settentrionale, perché Dio giudicherà il mondo col fuoco[31].

XLV   ג   50
Nella qabbalah si viene a sapere con estrema chiarezza perché il figlio di Dio sia venuto con l'acqua del battesimo, e lo spirito santo col fuoco.

XLVI   י   10
Con l'eclisse di sole che avvenne alla morte di Cristo si può esser certi, secondo i fondamenti della qabbalah, che proprio allora il figlio di Dio, il vero messia, conobbe la passione.

XLVII   מ   40
Chi saprà quali sono le proprietà di Aquilone nella qabbalah, saprà perché Satana promise a Cristo i regni del mondo, se si fosse gettato ai suoi piedi ad adorarlo[32].

31. La "parte settentrionale" (in Pico il "*mysterium partis septentrionalis*") indica il rapporto tra le due *sefirot binah-gevurah* (*intelligentia-iudicium*, in Pico), poste a rappresentare il settentrione, con lo spirito santo, simboleggiato dal fuoco, così come nella tesi successiva, complementare, il figlio è simboleggiato dall'acqua del battesimo. In tale simbolismo mistico, l'acqua rappresenta la misericordia ed il perdono, il fuoco la giustizia e la punizione.
32. Nella qabbalah l'ordine delle *sefirot* ha una sua specularità

XLVIII ו 6

Qualsiasi cosa dicano tutti gli altri qabbalisti, io affermo che le dieci sefirot corrispondono alle dieci sfere celesti nel modo seguente, partendo dal cielo: Giove è la quarta, Marte la quinta, il Sole la sesta, Saturno la settima, Venere l'ottava, Mercurio la nona, la Luna la decima, e quindi il cielo delle stelle fisse la terza, il primo mobile la seconda e l'empireo la prima[33].

XLIX ע 70

Chi capirà a che cosa corrispondono i dieci comandamenti (nella loro forma negativa) congiungendo

negativa con cui il male è si contrappone al bene. Così, secondo Pico quello stesso settentrione in cui s'identifica il figlio rappresenta anche Satana. Tale ipostatizzazione di Satana nel nord è presente anche nel SEFER BAHIR. Cfr. Scholem 1990, p.184.

33. La corrispondenza stabilita da Pico prevede una bipartizione: egli mette assieme dapprima le sette *sefirot* della *merkhavah* inferiore con pianeti sole e luna; le tre *sefirot* principali invece stanno con i tre cieli più elevati. Secondo i nomi latini che Pico dà alle sefirot, la corrispondenza è dunque la seguente: Giove : *ḥesed / magnitudo,* (od anche *pietas*); Marte : *gevurah / potentia*; Sole : *tif'eret / gloria*; Saturno : *neṣaḥ / aeternitas*; Venere : *ḥod / decor*; Mercurio : *yesod / fundamentum*; Luna : *malkhut / regnum*; Stelle fisse : *ḥokhmah / sapientia*; primo mobile : *binah / intelligentia*; empireo : *keter / corona.*

la verità astrologica con quella teologica, vedrà dalla base della precedente nostra tesi, checché ne dicano gli altri qabbalisti, che il primo comandamento corrisponde alla prima *middah*, il secondo alla seconda, il terzo alla terza, il quarto alla settima, il quinto alla quarta, il sesto alla quinta, il settimo alla nona, l'ottavo all'ottava, il nono alla sesta, il decimo alla decima[34].

34. Qui Pico tenta di dare un fondamento qabbalistico alla scansione cristiana dei comandamenti, diversa da quella ebraica: in particolare, il giudaismo (rigorosamente aderente alla lettera della scrittura, come appare evidente sia da ESODO 20:1-17 che da DEUTERONOMIO 5:6-21) mantiene distinto il secondo "Non ti farai alcuna scultura né immagine qualsiasi di tutto quanto esiste in cielo, etc.", che nel cristianesimo scompare; il terzo ("Non pronunziare il nome del Signore invano") diviene il secondo presso i cristiani, che per ricomporre la decina scorporano in due l'ultimo (nella versione del Deuteronomio: "Non desiderare la moglie del tuo prossimo e non bramare la casa del tuo prossimo né il suo campo, ecc."). In tal senso, il primo comandamento corrisponde in entrambi i casi al *keter 'elyon*, la corona suprema, aspetto paterno della divinità che circoscrive in sé tutti gli altri, il secondo dei cristiani corrisponde alla *ḥokhmah,* la sapienza che rappresenta il figlio, il terzo ("Ricorda di santificare le feste") è in diretto rapporto alla *sefirah* dell'intelligenza e quindi con lo spirito santo, che discende sui fedeli ad illuminarli nella pentecoste, e così via.

Quando i qabbalisti dicono che per avere figli bisogna rivolgersi alla settima ed all'ottava *sefirah*[35], allo stesso modo si può dire che i figli ci vengon dati grazie alla *merkhavah* inferiore, in modo da ottenere da una *sefirah* che conceda, e dall'altra che non proibisca, e quali siano quella che concede e quella che proibisce lo può capire dalle precedenti tesi chi sia in grado di comprendere l'astrologia e la qabbalah.

Come la luna piena fu in Salomone, così il pieno sole fu nel vero messia, che fu Gesù, ed uno che approfondisca la qabbalah può comprendere in Sedecia la corrispondenza con la fase calante[36].

35. Si tratta delle *sefirot neṣah* e *hod* che fanno parte della *merkhavah* inferiore, dove talvolta significano anche Nord e Sud. Sono preposte l'una a concedere, l'altra a proibire: l'origine di tale interpretazione mistica è in ISAIA 43:6: "Dirò al settentrione: lasciali andare! ed al mezzogiorno: non trattenerli!".

36. Luna e sole per Pico rappresentano rispettivamente ebraismo e cristianità; la storia del popolo ebraico sarebbe regolata dalla cadenza del ciclo lunare (notoriamente diverso da quello solare) nel senso che sarebbe scandita da cicli di 14 generazioni. La fase crescente avrebbe visto 14 generazioni succedersi da Abramo a Salomone, ed altrettante ne sarebbero intercorse sino a Sedecia, il re catturato, accecato e tradotto in cattività da Nabucodonosor: simbolicamente, il

LII   ג   50

Dalla precedente tesi si può capire perché l'evangelista Matteo ha omesso alcune delle quattordici
generazioni precedenti Cristo.

LIII   ׳   10

Dato che *"fiat lux"* non significa altro che "far par-
tecipe della luce", è del tutto appropriata quella
spiegazione qabbalistica per cui in *"fiat lux"*, il termine "luce" va inteso come "specchio lucente",
mentre in *"facta est lux"* corrisponde a "specchio
non lucente"[37].

LIV   ב   2

Ciò che dicono i qabbalisti: "noi saremo beati nello
specchio lucente ridato ai santi nei secoli futuri" è

    culmine della fase calante dell'ebraismo. Il calendario so-
lare e quello lunare comunque tornano ciclicamente a coincidere: in una ricomposizione del genere sarebbe apparso
sulla terra il messia Cristo. In realtà la lettera della Bibbia
non è così precisa, e gli esegeti sono costretti ad aggiusta-
menti complicati, come del resto nota lo stesso Pico nella
tesi successiva.

37. Nel simbolismo qabbalistico i due specchi (quello che riflette e l'altro, che non lo fa) rappresentano due stadi
dell'estraniamento del saggio verso Dio. Pico qui fa coincidere creazione (*"fieri lux"*, creazione della luce) con rivelazione (*"participare lucem"*, illuminazione profetica).

esattamente equivalente (seguendo i fondamenti della loro dottrina) a quello che diciamo noi: "i santi saranno beati nel figlio"[38].

LV ט 50
Ciò che dicono i qabbalisti, "il lume nascosto nel candelabro dalle sette braccia riluce più del lume che ci è stato lasciato" si attaglia mirabilmente all'aritmetica pitagorica[39].

LVI י 10
Chi sarà stato in grado di trasformare il numero

38. La concezione qabbalistica del premio eterno (estranea peraltro al complesso dottrinale del giudaismo, che anzi rifiuta il concetto stesso di premiazione individuale mediante la vita eterna) vuole che coloro che vivono osservando i precetti della Torah, e che quindi sono da ritenersi santi, si specchieranno nel sole (in *tif'eret*) nella vita eterna. In questo Pico vede una corrispondenza con la dottrina cristiana della redenzione dei santi (ossia, di chi muore in grazia di Dio) attuata nel figlio.

39. La *sefirah malkhut,* la settima della *merkhavah* inferiore, rappresenta la luna. Isaia profetizza che, dopo il giudizio universale, la luna stessa splenderà più di sette volte il sole, che abitualmente corrisponde a *tif'eret*. Col giudizio universale si assisterà insomma ad un rovesciamento delle proporzioni: sette ad uno, uno a sette, poiché si pensava che il sole splendesse sette volte la luna, e secondo Pico ciò si attaglia al criterio pitagorico di proporzionalità inversa.

quattro nel numero dieci avrà modo, se sarà esperto in qabbalah, di dedurre, dal nome ineffabile, il nome di 72 lettere[40].

LVII   מ   40

Per mezzo della tesi precedente chi comprende l'aritmetica formale può capire in che senso operare per mezzo dello "*šem hammeforaš*" è proprio della natura razionale[41].

40. Il nome ineffabile è il Tetragramma; lo *šem hammeforaš*, che si incontra anche nella tesi successiva, è invece il "nome espanso" del Signore, sequenza di attributi divini di 72 lettere, nominato in ESODO 34:6. Nella *gemaṭriah* tradizionale si può dedurre il numero 72 dai valori numerici del Tetragramma (יהוה): poiché in ebraico י vale 10, ה vale 5 e ו vale 6, il Tetragramma esprime una sequenza di queste cifre: 10-5-6-5; sommando i primi due numeri, poi i primi tre e quindi tutti e quattro, si ha la sequenza 10-15-21-26, la cui somma dà appunto 72. La trasformazione del quattro in dieci avviene così: se si assegnano alle quattro lettere i valori numerici del loro ordine di scritture, *yod* vale 1, *he* vale 2, *waw* vale 3 ed infine *he* vale 4; le prime due cifre sommate danno 3; la loro somma sommata alla terza dà 6, che sommata all'ultima lettera dà 10.

41. Le lettere del nome espanso di Dio sono 72, numero scomponibile in 2≥ per 3≤; se al 3≤ si sostituisce 3≥, (in pratica, moltiplicando 72 per 3) si ha il numero 216, numero delle lettere che compongono l'invocazione di Dio fatta da Mosé. In altri termini, Pico segnala il rapporto diretto tra enumerazione di lettere (il cui valore semantico è comunque

LVIII ע 70

Sarebbe più corretto ritenere che il termine *"Be-qadmin"*, che la glossa aramaica appone alla parola *"Berešit"*, spieghi le idee sapienziali, piuttosto che le 32 vie, come dicono altri qabbalisti, anche se tutto sommato entrambi le interpretazioni sono corrette, da un punto di vista qabbalistico[42].

LIX ל 30

Chi approfondirà il quadruplice stato delle cose (primo, unione e ruolo della stabilità, secondo, il

afferente alla divinità), valore numerico intrinseco di tali lettere, e rapporti aritmetici che sottendono a tali valori, identificandovi una particolare serie di corrispondenze, che fanno coincidere la lettura mistica della scrittura con l'armonia numerica.

42 Il TARGUM è la traduzione commentata in aramaico - un tempo detto caldaico - del Pentateuco, opera di Onqelos, commentatore palestinese della fine del II secolo dell'Era volgare di cui si favoleggiava fosse figlio d'una sorella di Antonino Pio. *"Beqadmin"*, vi si trova scritto come glossa alla prima parola della Torah (che è *"Berešit"*, "In principio"). Tale glossa significa "nei tempi passati", al plurale, e qabbalisticamente rappresenta la sapienza originaria, riassunta nell'*Adam qadmon,* la raffigurazione archetipica dell'essere umano, in cui ogni *sefirah* corrisponde ad una parte del corpo. Le 32 vie sono gli elementi mistici che conducono alla comunione con Dio; si tratta delle 22 lettere dell'alfabeto ebraico, sommate alle 10 *sefirot*, come emerge dai primi due capitoli del SEFER YEṢIRAH.

procedere, terzo, la reversibilità, quarto, la riunione beatifica), vedrà che la lettera *Bet* realizza con la prima lettera il primo, con la lettera media il medio, con l'ultima gli ultimi[43].

LX   ש   300

Dalla tesi precedente uno spirito contemplativo può comprendere perché la legge divina cominci con la lettera *Bet*, della quale sta scritto che è immacolata, che rappacificava ogni cosa con esso, che converte le anime, che fa fruttificare a tempo debito[44].

43. Pico si riferisce, qui e nelle due tesi successive, alla mistica della parola ebraica שבת, *šabbat*. La lettera ב *bet* al centro indicherebbe il figlio, e le restanti rispettivamente il padre e lo spirito santo. La combinazione della lettera *bet* "*cum primum*" secondo Pico indica il padre ("*primum*" è la prima lettera dell'alfabeto; *alef+bet* dà אב *av*, in ebraico "padre"), "*cum medium*" (cioè con la lettera *nun*, centrale nell'alfabeto di 27 lettere, inteso cioè come comprendente , olte i 22 segni semplici, i cinque segni speciali delle lettere *mem, nun, pe, qof* e *ṣadi* in posizione finale) il figlio (*bet+nun*, בן *ben*, figlio in ebraico) e "*cum ultimis*", con le ultime lettere (*šin+taw*), dà appunto שבת, *šabat*, sabato di pace, di festa e di riunione beatifica.

44. *Bet* come si è visto è l'iniziale della parola ebraica בן *ben*, "figlio"; la legge dunque, che inizia con la parola "*Berešit*" ("In principio") contiene nel suo stesso inizio la propria conclusione, da intendersi come perfezione del padre che si compie appunto nel figlio.

LXI ל 30

Per mezzo della medesima tesi si può venir a sapere che lo stesso figlio, che è sapienza del padre, è colui che riunifica ogni cosa nel padre, e per il quale ogni cosa è stata creata, e da cui ogni cosa procede, ed in cui finalmente tutto è sabbatizzato.

LXII ש 300

Chi approfondirà il senso del numero delle nove beatitudini di cui si parla nel vangelo di Matteo, vedrà che corrispondono mirabilmente alla serie di nove entità che susseguono alla prima, che è l'inaccessibile profondità del divino[45].

LXIII י 10

Come Aristotele dissimulò sotto l'aspetto di speculazione filosofica, oscurandola con espressioni sintetiche, la filosofia più divina che i filosofi antichi avevano velato di apologi e favole mitologiche, così Mosè Maimonide, mentre per l'apparenza esteriore delle parole sembra cammini a fianco degli

---

45. La *sefirah keter*, la corona, in quanto primo elemento assomma e coinvolge in sé tutte le altre *sefirot*: in Pico corrisponde all'empireo, al di sotto del quale si succedono i cieli delle intelligenze angeliche, corrispondenti alle nove *sefirot* successive. Cfr. anche la *Conclusio II secundum secretam docrinam sapientum hebraeorum*.

altri filosofi, coi significati reconditi ci svela il senso più profondo dei misteri della qabbalah[46].

LXIV ם   40

Quel testo "Ascolta o Israele, il Signore è Dio nostro, il Signore è uno solo" è più corretto venga inteso come una ricapitolazione dall'inferiore al superiore, e quindi dal superiore all'inferiore, piuttosto che un passaggio ripetuto due volte dall'inferiore al superiore[47].

46. In realtà sappiamo che ogni interpretazione qabbalistica di Maimonide è destituita di fondamento. Pico (a differenza di altri pensatori coevi) si rendeva perfettamente conto comunque che Maimonide non era un qabbalista ma piuttosto l'esatto contrario, ossia un razionalista. Sta di fatto che per il qabbalista cristiano Pico si poteva dare una lettura allegorica-anagogica in senso mistico e magico addirittura di Aristotele (o almeno delle sue opere esoteriche).

47. Il passo che Pico riporta, da DEUT.6:4, è l'inizio della prima e più importante preghiera israelitica, vera e propria professione di fede. Le *sefirot*, in quanto *middot*, ossia attributi, o potenze, divini, inducono sulla terra l'una un effetto, l'altra un altro: ma sono in realtà da concepirsi non come componenti dell'unità, che è appunto una ed indivisibile, ma come suoi aspetti che promanano sino all'uomo. La lettura dell'albero sefirotico quindi va fatta, rispettando questo principio unitario, partendo dalla *sefirah malkhut*, l'ultima, rappresentante il regno di Dio in terra, ove vive l'uomo che prega) per risalire sino alla prima, la *sefirah keter*, da cui ridiscende la grazia divina all'uomo. In questo

LXV ו 6

È più corretto ritenere che *Amen* significhi, oltre
che *Tif'eret,* anche "regno", come per via numerica
si dimostra, piuttosto che significhi solo "regno",
come alcuni vogliono[48].

LXVI ע 70

Io adatto la nostra anima alle dieci *sefirot* in questo
modo: per la sua unità, alla prima, per l'intelletto alla
seconda, per la ragione alla terza, per l'anima superiore concupiscibile alla quarta, per la superiore irascibi-
le alla quinta, per il libero arbitrio alla sesta, e per tutti
questi aspetti insieme, in quanto superiori, alla settima; per tutti loro in quanto inferiori, all'ottava
sefirah, e quindi la combinazione dei due livelli più
per somiglianza o mutua coesione che per unione

senso il movimento Dio-uomo e quello uomo-Dio si confi-
gurano come ininterrotta circolarità.

48. Pico qui applica le regole della *gemaṭriah* alla parola
"amen", אמן, il cui valore numerico è 1+40+50, ossia 91.
Tale cifra risulta essere anche la somma del valore del Tetragramma, YHWH, יהוה (10+5+6+5=26) con quello
dell'altro nome di Dio, Adonai, אדני, (1+4+50+10=65).
Quest'ultimo termine nella tavola delle corrispondenze tra
sefirot e nomi di Dio corrisponde appunto a *malkhut,* il regno, mentre il Tetragramma corrisponde a *tif'eret.* La valenza mistica della parola "amen", che propriamente significa "è vero", ne risulta così rafforzata.

compresente come nona *sefirah*, mentre per decima
intendo la potenza, intrinseca al primo ricettacolo[49].

LXVII ל 30

Per mezzo dell'assunto qabbalistico per cui i cieli
consistono di fuoco ed acqua, ci vengono allo stesso tempo svelate una verità filosofica ed una teologica, per il fatto che gli elementi stanno in cielo
soltanto secondo la loro virtù attiva[50].

LXVIII ר 200

Chi saprà che cosa valga il numero dieci in aritmetica formale e conoscerà la natura del primo numero sferico[51] saprà quel che io sino ad ora non ho letto presso alcun qabbalista, ed è il fondamento qabbalistico del segreto del Giubileo grande.

49. La tesi è nient'altro che l'integrazione della dottrina platonica
    dell'anima nella qabbalah. Tale tema è approfondito nel COM-
    MENTO AD UNA CANZONE D'AMORE, cit. (Pico 1942, 495-6)
50. In ebraico "i cieli" si dice שמים *šammaym*, parola che certi
    qabbalisti scompongono (secondo un'arbitraria etimologia)
    in אש *'eš* (fuoco) e מים *maym* (acqua). L'argomento è trattato
    da Pico anche nell'HEPTAPLUS (Pico 1942, 188-190), dove
    spiega che il sole, fuoco in cielo, nella regione sopraceleste
    è fuoco serafico intellettuale, mentre l'acqua, identificabile
    con la luna, è umore elementare delle menti cherubiche.
51 Numeri sferici sono quelli che moltiplicati per se stessi
    riappaiono nel prodotto: il 5, il 6, il 10. Il numero del Giu-
    bileo è 50 (10 moltiplicato 5, i due numeri corrispondenti a

LXIX ב   2

Analogamente, dal fondamento della precedente tesi si può conoscere il segreto delle 50 porte dell'intelligenza di Dio, e della millesima generazione, e del regno di tutti i secoli.

LXX ע   70

Il modo di scrivere di cose divine ci viene mostrato col modo di leggere la Torah senza i punti[52]; l'unitarietà ci viene mostrata per via dell'ambito indeterminato delle cose divine.

י e ה, le lettere iniziali del Tetragramma), che è anche il numero delle porte che, aperte, consentono l'intelligenza di Dio. L'ultima porta dell'intelligenza divina apre verso le 32 vie che portano alla sapienza, come dopo le sette settimane, nel cinquantesimo giorno dopo il 14 di *niṣan*, pasqua ebraica, il fuoco dello Spirito illumina gli eletti. Il Mille (10 elevato alla terza) rappresenta il limite invalicabile alle generazioni nel mondo terreno, tempo al di là del quale regna solo il Signore (come si legge nella tesi successiva).

52. La Torah (il Pentateuco, contenente la legge) è letto abitualmente coi punti, ossia coi 51 differenti segni diacritici (aggiunti al testo originario tra il VI ed il IX secolo dell'Era volgare dai masoreti) che indicano le vocali (16 *tenuʿot*), le inflessioni della voce (30 *teʿamim*), le modifiche di pronunzia delle consonanti (4: *dageš, mappiq, maqqef, rafeh*); solo l'officiante, nelle funzioni al tempio sinagogale, legge nel *sefer* sacro, conservato nello *ʿaron* e scritto senza i punti. Tale lettura comporta una grande difficoltà, e soprattutto una concentrazione ed un'attenzione

LXXI ʼ 10

Per mezzo di quanto dicono dell'Egitto i qabbalisti (e ne è stata attestata l'esperienza) dobbiamo credere che la terra d'Egitto sia in rapporto d'analogia con la subordinazione e la proprietà della potenza[53].

LXXII מ 40

Come la vera astrologia ci insegna a leggere nel libro di Dio, così la qabbalah ci insegna a leggere nel libro della legge[54].

particolari, che Pico considera fondamento della comunione con l'unità sostanziale del divino, la cui infinitezza è rappresentata dall'indeterminatezza delle consonanti senza punti del *sefer* rituale, e rinvia in questo senso all'*en sof*. Leggere la Torah senza i punti inoltre può consentire la scomposizione più arbitraria delle parole, cosa che ne agevola la lettura mistica. Pico dà una prova di ciò nell'HEP-TAPLUS, (Pico 1942,378) scomponendo variamente "*berešit*", la parola iniziale, e desumendone, ancora una volta, l'annuncio del messia e la sua identità in Cristo.

53. L'Egitto, che per gli Ebrei rappresenta la servitù e, quindi, il male, ma anche la capacità di liberarsene, nella qabbalah corrisponde alla *sefirah gevurah*, che di per sé non ha una connotazione negativa, ma ambivalente: subordinazione quindi, ma poi forza, potenza, nel sapersi opporre al male stesso, e quindi liberarsene.

54. Pico mette sullo stesso piano l'astrologia matematica, in quanto studio razionale dell'universo (*liber Dei*), e la qabbalah, in quanto interpretazione razionale della scrittura (*liber legis*). Cfr. Garin 1994, 249.

PARTE SECONDA

LE 47 CONCLUSIONI QABBALISTICHE "SECUNDUM SECRETAM DOCTRINAM SAPIENTUM HEBRÆORUM"

I

Come l'uomo, in quanto sacerdote inferiore, sacrifica a Dio le vite di animali irrazionali, così Michele, da sacerdote superiore, offre in sacrificio le anime degli esseri razionali[55].

II

Le gerarchie angeliche sono nove, e si chiamano כרובים *keruvim*, שרפים *śerafim*, חשמלים *ḥašmalim*, חיות *ḥayot*, אראלים *'erel'im*, תרשישים *taršišim*, אופנים *'ofanim*, תפשרים *tefśarim*, עשים *'išim*[56].

III

Benché il nome ineffabile corrisponda alla proprietà della clemenza, non si può negare che corrisponda anche a quella del giudizio[57].

55. La tesi si basa sull'interpretazione talmudica di un passo del Levitico 9:4, da cui si desume l'equivalenza tra i valori numerici delle lettere componenti i nomi dell'arcangelo Michele e di Aronne, (fratello di Mosè), primo sacerdote del popolo di Israele. Il tema ricorre in termini analoghi (pur se non esattamente gli stessi) anche in Dante, Purgatorio, XI, 10-12.
56. È evidente l'analogia di questa serie di nove gerarchie angeliche con quella delle intelligenze dantesche: entrambe derivano dallo Pseudo Dionigi Areopagita. L'angelologia ebraica presuppone sette o dieci intelligenze.
57. Il nome ineffabile (il Tetragramma) secondo i vari autori corrisponde ora ad una *sefirah* ora ad un'altra, tra cui an-

IV

Il peccato di Adamo consisté nell'interrompere il rapporto tra la *sefirah malkhut* e le altre *sefirot*[58].

V

Iddio creò il mondo secolare con l'albero della conoscenza del bene e del male, contro il quale l'uomo ha peccato.

VI

L'Aquilone Magno è la scaturigine semplice di tutte le anime, così come gli altri giorni lo sono di alcune, e non di tutte[59].

VII

Quando Salomone, nella sua preghiera nel Libro

che a *gevurah (potentia, iudicium)* ed a *ḥesed (pietas, clementia).*

58. Pico scrive *"truncatio regni"*, ossia "separazione della *sefirah malkhut*", (che significa appunto "regno") *"a ceteris plantis"*, cioè dal resto del'albero sefirotico. Il peccato originale insomma è inteso qabbalisticamente non come peccato di conoscenza, di curiosità, quanto di violazione dell'unità del sapere che l'albero sefirotico poteva consentire.

59. Aquilone è la quarta *sefirah,* la *gevurah* o *potentia* (corrispondente al primo giorno della creazione) da cui discendono tutte le anime individuali, che poi, trascorrendo per le successive *sefirot*, corrispondenti agli altri giorni, ne acquisiscono differenti caratterizzazioni.

dei Re, dice "Ascolta, o Signore, dall'alto dei cieli", per "cielo" dobbiamo intendere la linea verde
che circonda l'universo[60].

VIII
Le anime discendono dalla terza luce al quarto
giorno, e quindi al quinto; infine uscendo subentrano nella notte del corpo[61].

IX
I sei giorni della Genesi vanno concepiti come sei
estremità di un edificio che procedono dal
"*Berešit*" come i cedri dal Libano[62].

60. La "linea verde" corrisponde alla *sefirah binah*. L'intelligenza, insomma, è concepita come una sorta di equatore
celeste che circonda tutto quanto il cielo, fungendo da con-
fine e quindi separando (ma anche congiungendo) il non
creato e il creato. Cfr. *Supra*, p.48 e n.

61. La "terza luce" è ancora una volta la *sefirah binah*; i giorni
quarto e quinto corrispondono alle *sefirot* successive (*gevurah* e *ḥesed*, potenza e *pietas*). Le anime quindi "subentrano
nella notte del corpo", poiché la materialità dell'esistenza
sensibile ne offusca appunto la spiritualità. Vi è senza dubbio una difficoltà nell'interpretazione di tale tesi: non è chiaro in particolare come mai Pico usi due termini (luce-giorno,
lumen-dies) per significare la medesima entità (le *sefirot*).

62. Per alcuni qabbalisti il mondo ha sei estremità: il sopra, il
sotto, il davanti, il dietro, la destra e la sinistra. Esse corrispondono ai sei giorni della creazione, a loro volta corri-

X

È più corretto dire che il paradiso sia tutto l'edificio sefirotico, piuttosto che la decima *sefirah* da sola; ed al suo centro si colloca il grande Adamo, che è *tif'eret*[63].

XI

E' stato detto che dall'Eden esce un fiume, che si dirama in quattro rami, per significare che dalla seconda *sefirah* procede la terza, che si divide nella quarta, quinta e decima *sefirah*[64].

XII

Sarà vero che ogni cosa dipende dal destino, se in-

spondenti alle sei prime *sefirot* della *merkhavah* inferiore, che si proiettano verso il creato come i cedri si diffondono verso il basso dalla sommità del monte Libano.

63. La tesi contesta l'idea che del paradiso si possa parlare come "*hortus deliciarum*" ubicato in un suo spazio proprio rappresentato dalla *sefirah malkhut*; al contrario, Pico ritiene che il godimento intellettuale, vero premio dei beati, sia funzione di tutte le *sefirot*, al centro delle quali con *tif'eret* sta il "*magnus Adam*", l'uomo primigenio, quell'*Adam qadmon* che Pico stesso fa corrispondere al libero arbitrio nella *Conclusio LXVI secundum opinionem propriam*.

64. L'Eden corrisponde alla *ḥokhmah*, la sapienza; il fiume alla *binah*, l'intelligenza, da cui derivano i quattro rami del corso d'acqua di GENESI 2:10-15, identificati con le *sefirot gedulah*, *gevurah*, *tif'eret* e *malkhut*.

tenderemo per "destino" il destino superiore[65].

XIII

Chi conoscerà nella qabbalah il mistero delle porte dell'intelligenza conoscerà il mistero del Giubileo grande[66].

XIV

Chi saprà qual è la proprietà del meridione, nell'incolonnamento a destra dell'albero sefirotico, saprà perché ogni partenza di Abramo sia sempre stata diretta verso sud[67].

65. Si tratta di un concetto dello ZOHAR, quello di "destino superiore", in ebraico מזל העליון *mazal ha'elyon*, che è iscritto all'interno del nome del Signore. Cfr. Wirszubski 1989, 31.
66. Le porte che il saggio deve aprire per giungere a capire Dio sono 50, quanti gli anni del giubileo: così Gikatilla, qabbalista castigliano degli inizi del Trecento, nel suo ŠAʿAREH ṢEDEQ (Porte di giustizia).
67. La *middah ḥesed*, ossia la misericordia, rappresenta il sud, direzione verso la quale Abramo si muove, partendo da Ḥaran verso la terra promessa. Per l'esattezza, la direzione reale fu il sud-ovest, ed almeno in un caso, (contrariamente a quanto afferma Pico), nel ritorno dall'Egitto verso il Negev, la partenza avvenne verso oriente. Il valore mistico della tesi sta nel fatto che l'incolonnamento delle *sefirot ḥokhmah* e *ḥesed* mette in relazione diretta e consequenziale ciò che esse rappresentano, ossia Cristo ed Abramo; il valore tropologico sta nell'allontanamento costante di

XV

Se al nome di Abramo אברהם non fosse stata aggiunta una ה *he*, Abramo non avrebbe potuto generare[68].

XVI

Prima di Mosè tutti hanno pronunziato profezie per mezzo della cerva unicorno[69].

XVII

Ogni volta che nella Scrittura si fa menzione dell'amore tra uomo e donna, ci viene misticamente significata l'unione di *tif'eret* con *knesset Isra'el*, o di *bet* con *tif'eret*[70].

Abramo dal male, rappresentato dal Nord. Cfr. anche la *Conclusio XXXVII secundum opinionem propriam*.

68. È noto come il nome di Abramo significasse, senza la *hes* penultima lettera, "padre eccelso", mentre con l'aggiunta sarebbe passato a significare "padre delle moltitudini".

69. I patriarchi precendenti Mosè hanno usato della facoltà profetica in grazia dell'ultima *sefirah malkhut* o regno, uno dei cui appellativi è appunto *'ayalah*, אילה, la cerva, come riporta Menahem Recanati nel suo COMMENTO AL PENTATEUCO. La presenza bizzarra della qualifica di "unicorno" è dovuta alla versione che del termine sudetto ha dato Flavio Mitridate, nella sua traduzione del Recanati fatta per Pico.

70. *Tif'eret* è la gloria, l'amore divino, il Tetragramma (principio maschile); *knesset Isra'el* è la comunità di Israele, ossia dei credenti. Più in particolare, nell'albero sefirotico es-

XVIII
Chi si congiungerà a mezzanotte sotto l'influsso di
tif'eret potrà procreare con prosperità[71].

XIX
Le lettere del nome del principe dei demoni, capo
del mondo diabolico, hanno lo stesso valore del
nome di tre lettere di Dio, e chi saprà ordinarne la
trasposizione, potrà dedurre l'uno dall'altro[72].

sa è rappresentata dalla *malkhut* (il regno), l'ultima *sefirah*
che indica anche il principio femminile della *šekhinah*, la
presenza divina che rende pacifica e feconda ogni festa sacra, il sabato prima di tutte. Menzionando la *bet* Pico si riferisce probabilmente ad un'altra possibile unione mistica,
quella di *tif'eret* con *binah*, la terza *sefirah*.

71. Secondo lo ZOHAR amarsi carnalmente a mezzanotte è fa-
vorevole al concepimento poiché è il medesimo momento
in cui avviene la congiunzione di *tif'eret* con *šekhinah*.
Menahem Recanati sostiene anche che, ormai completata a
quell'ora la digestione della cena, il seme che l'uomo
emette è di qualità particolarmente pura. Cfr. Scholem
1980,187-188 e Wirszubski 1989,36.

72. Il nome di tre lettere è ביה *bih*; quello del principe dei demoni שטן, *śaṭan*. Il valore numerico delle lettere costituenti
il primo è 2+10+5=17; altrettanto, per il secondo le cifre
valgono 3+9+5=17, poiché la *gemaṭriah* consente di adot-
tare, all'occorrenza, il cosidetto computo minore, per cui di
ש *shin* e נ *nun*, che varrebbero rispettivamente 300 e 50, si
accoglie il numero, rispettivamente, delle centinaia e delle
decine.

XX

Quando la luce dello specchio che riflette sarà come quella dello specchio che non lo fa, la notte sarà come il giorno, come dice Davide[73].

XXI

Chi conoscerà le proprietà di חשך *ḥošekh* e di לילה *laylah*, ossia il segreto delle tenebre, saprà perché i demoni del male nuocciano più di notte che di giorno[74].

XXII

Ci sono varie relazioni concernenti i carri mistici. Tuttavia, per quanto attiene al mistero dei filatteri vanno distinti ed ordinati due carri: la seconda, terza, quarta e quinta *sefirah* costituiscono un carro, e sono i filatteri rivestiti dalla *waw*; la sesta, settima

---

73. Le *sefirot* sono intese anche come specchi che riflettono la luce divina verso gli uomini, eccetto l'ultima, la *sefirah malkhut*, che rappresenta tra l'altro la luna, che è come uno specchio che non riflette. Cfr. la *Conclusio LIII secundum opinionem propriam*. Il passo di Davide citato è in SALMI 139:12.

74. La proprietà della notte è demoniaca: infatti da לילה *laylah*, la notte, ha origine, secondo una discutibile etimologia, לילת *Lylit*, capostipite delle streghe. La proprietà di *ḥošekh* (oscurità, buio) è quella di obnubilare le coscienze e quindi le virtù umane. I demoni quindi nuociono maggiormente di notte.

ottava e nona *sefirah* ne costituiscono un secondo,
e sono i filatteri rivestiti dalla *he*[75].

XXIII

Non si può usare la parola "disse" relativamente alla *sefirah* della penitenza[76].

XXIV

Giobbe, quando disse "che stabilisce la pace nell'alto dei suoi cieli" si riferì all'acqua australe ed al fuoco settentrionale, ed ai loro luogotenenti, di cui non si deve dire altro[77].

---

75. I due carri mistici sono la *merkhavah* superiore e quella inferiore; le *sefirot* rispettivamente elencate nella tesi ne costituiscono le ruote. I filatteri (תפלין *tefillin*) sono astucci di cuoio all'interno dei quali è racchiusa una pergamena su cui sono scritte alcune פרשות *paraŝot*, o parti della legge, e che l'orante appone mediante lacci sulla fronte (i filatteri della *waw*, simboleggiante la *sefirah tif'eret*, nel suo valore di gloria di Israele) e sul braccio (quelli della *he*, simboleggiante la *sefirah malkhut*, nel suo valore di congregazione di Israele).

76. La *middah teŝuvah*, penitenza, corrisponde alla *sefirah binah*, intelligenza, che è precedente alla creazione della parola, che nel GENESI avviene al terzo versetto. Solo a tal punto appare per la prima volta la parola "disse" (*wa'yomer* ויאמר).

77. I luogotenenti dei due ambiti della creazione sono rispettivamente i due arcangeli Michele e Gabriele. La citazione (da Giobbe 25:2) va misticamente intesa come la creazione

XXV

"Berešit", ossia "in principio creò", è lo stesso che dire "nella sapienza creò"[78].

XXVI

Il detto di Onqelos il caldeo, *"beqadmin"*, ossia "con le cose eterne" od anche "per mezzo delle cose eterne" indica le trentadue vie della sapienza[79].

XXVII

Come l'insieme delle acque è il giusto, così il mare a cui tendono tutti i fiumi è la divinità[80].

del mondo, del cielo ("fuoco settentrionale", ossia fuoco e calore solare in alto) e della terra ("acqua australe", in basso, con riferimento a Gen.1:2, "lo spirito di Dio si librava sulle acque"). Cfr. la *Conclusio XLIV secundum opinionem propriam.*

78. Come si legge in SALMI 104:24, "tutto hai fatto con la sapienza". Con la sapienza, la seconda *sefirah*, inizia l'attività creatrice di Dio la cui unità superiore è significata nella prima *sefirah*, la corona.

79. Mentre la Torah inizia con *"Berešit"*, al singolare, la sua traduzione aramaica, il Targum, opera appunto di Onqelos, inizia con *"Beqadmin"*, al plurale, (scil. "Nei tempi passati"), Ciò indica che le vie della *sefirah ḥokhmah,* ossia della sapienza, sono più d'una. Cfr. la *Conclusio LVIII secundum opinionem propriam.*

80. L'insieme delle acque, la "congregatio aquarum", come dice Pico, ossia la *sefirah yesod*, il fondamento, è detta nello ZOHAR anche "il giusto". L'essenza del mare è divina, poi-

XXVIII

I volatili creati nel quinto giorno vanno concepiti come gli angeli terreni che appaiono agli uomini, non quelli che non appaiono se non nello spirito[81].

XXIX

Il nome di Dio di quattro lettere *Mem Ṣadi Pe Ṣadi* dev'esser considerato proprio del regno di Davide[82].

XXX

Nessun angelo con sei ali si trasforma mai[83].

ché buona (come sta scritto in GEN. 1:10) e rappresenta la perfezione a cui tutti i fiumi (cioè le acque, e quindi i giusti, secondo la corrispondenza di cui sopra) tendono. Cfr. Scholem, 1990, 199.

81. La distinzione sembra riferita agli angeli in quanto messi del Signore che appaiono agli uomini da un lato, (come, ad esempio, Gabriele che appare a Daniele, in DANIELE 8:15-16) e dall'altro alle intelligenze angeliche, che presiedono alle varie facoltà umane, senza apparire in modo sensibile.

82. Questo nome quadrilittero (מצפץ) è nient'altro che il Tetragramma traslitterato secondo lo 'atbaš אתבש, metodo che prevede la sostituzione della prima lettera dell'alfabeto con l'ultima, della seconda con la penultima, e così via. Tale nome magico secondo alcuni qabbalisti si attaglia alla *sefirah malkhut*, l'ultima, detta anche "regno della casa di Davide".

83. Gli angeli con sei ali sono i serafini (שרפים), in accordo con ISAIA 6:2; essi non assumono mai forma diversa dalla pro-

XXXI

È stata data la circoncisione per liberarci dai poteri immondi, che vanno in circolo[84].

XXXII

La circoncisione avviene all'ottavo giorno, poiché è più in alto della sposa universale[85].

pria , in quanto coeterni alla *sefirah hokhmah,* e quindi partecipi della *merkhbah* superiore, non direttamente tenuti ad entrare in diretto rapporto col mondo terreno. Pertanto non hanno modo né bisogno di modificare il proprio aspetto.

84. Pico si riferisce a SALMI 12:9, in cui si legge *"In circuito impii ambulant"*, "gli empi camminano in tondo" (e non "vanno a giro" né tanto meno "si aggirano", come si legge nelle traduzioni italiane). La circoncisione è dunque ablazione simbolica del male, la cui circolarità indica che trova motivazione e giustificazione solo in se stesso.

85. La circoncisione è "più in alto" poiché il fallo maschile corrisponde alla nona *sefirah yesod*, il fondamento, che nell'albero sefirotico sta sopra alla decima *sefirah malkhut,* la "sposa universale". L'incontro tra *yesod* e *malkhut* è la consacrazione mistica della festività dello *šabbat*, settimo giorno trascorso il quale l'infante, il nuovo essere umano da poco venuto al mondo è perfetto, è spiritualmente completo e quindi può affrontare il mistero del patto di Abramo con Dio. Quindi la circoncisione avviene nell'ottavo giorno dalla nascita, poiché è certo che allora il nuovo essere umano ha trascorso tutti i giorni simbolici della creazione, incluso almeno un sabato.

XXXIII

Non c'è neanche una lettera, in tutta la Torah, che non ci esponga i segreti delle dieci *sefirot*, con la forma, le congiunzioni, le separazioni, la tortuosità, la direzione, l'assenza, la sovrabbondanza, la minoranza, la maggioranza, il coronamento, la chiusura, l'apertura e la sequenza[86].

XXXIV

Chi avrà capito perché stia scritto "Mosè nascose la sua faccia" e "Ezechia volse il volto verso la parete" saprà quale debbano essere l'atteggiamento ed il modo di fare di chi prega[87].

---

86. La lettera ' *yod* per la sua forma è qabbalisticamente intesa come la molecola costitutiva di ogni altra lettera, ed in tal senso partecipa di tutte le facoltà di ogni lettera e di ogni valore ed attributo di ogni parola. Va dunque tenuta presente anche tale angolazione, quando si legge l'affermazione cristiana "Non una iota della legge vada perduta" (MATTEO 5:18); laddove "iota", alla greca, non è termine adeguato a rendere il significato più profondo della lettera e dello spirito della mistica dell'ebraismo.

87. I due passi (da GENESI 17:3 ed ISAIA 38:2) vanno intesi come indicazioni volte ad evitare di levare superbamente lo sguardo sulla *šekhinah*: un atteggiamento umile e contrito è quello che si addice all'orante.

XXXV

Nessuna entità spirituale che scenda nel mondo terreno opera senza un abito[88].

XXXVI

Il peccato di Sodoma consisté nel troncare l'ultima
pianta[89].

XXXVII

Col segreto dell'orazione dell'alba dobbiamo intendere la proprietà della pietà[90].

XXXVIII

Come il timore di una cosa è amore al livello più
banale, così il timor di Dio è amore superiore.

XXXIX

Dalla tesi precedente si comprende perché nel Genesi Abramo venga lodato per il suo timor di Dio,

88. L'abito in questione è ovviamente quello delle proprietà, o
    facoltà, (*middot*) che le intelligenze angeliche, a cui Pico qui
    si riferisce, assumono per produrre i loro effetti sulla terra.
89. Si tratta dell'ultima pianta, o ramo, dell'albero sefirotico,
    la *sefirah malkhut*, il regno, o regalità, che fu spezzato nel
    tentativo dei sodomiti di praticare la *pedicatio* sugli angeli
    del Signore, violandone così, appunto, la regalità.
90. Si tratta della *middah ḥesed*, secondo alcuni qabbalisti te-
    stimoniata da Abramo nella sua preghiera antelucana, co-
    me si trova scritto in GENESI 19:27.

dato che sappiamo che ha agito per amore, in grazia della proprietà della misericordia[91].

XL

Ogni qual volta ignoriamo a quale *middah* rivolgerci per l'influsso che presiede l'oggetto della nostra preghiera, dobbiamo ricorrere alle nari di Dio[92].

XLI

Ogni anima ispirata dalla bontà è un'anima nuova che viene dall'oriente[93].

XLII

Furon sepolte le ossa di Giuseppe e non il corpo, poiché le sue ossa erano i poteri e le milizie dell'albero superiore, detto _saddiq_, che estende la sua influenza alla terra superiore.

---

91. Pico si riferisce, qui e nella tesi XXXVIII, alla *middah* _hesed_, la *pietas*, o timor di Dio inteso nel senso di piena dedizione a Dio stesso, che spinge Abramo sino ad un passo dal sacrificare il figlio Isacco.
92. Le nari di Dio sono quelle da cui promana lo spirito, il soffio vivificante di Dio (in accordo a quanto sta scritto in GENESI 2:7), che poi si articola nelle varie *middot*.
93. Nel BAHIR si trova infatti una chiosa ad ISAIA 43:5, secondo cui il seme umano che dà origine a nuove anime che ancora non conoscono il male viene dall'oriente.

XLIII

Nessuno conosce il sepolcro di Mosè, poiché fu elevato al giubileo superiore, e nel giubileo pose le sue radici[94].

XLIV

Quando l'anima avrà compreso tutto ciò che può comprendere, e si congiungerà con l'anima superiore, si spoglierà dei suoi abiti terreni, svellendosi dal posto in cui sta, e si congiungerà con l'essenza di Dio[95].

XLV

I saggi di Israele, una volta terminato di profetare

94. La diversa destinazione dei resti di Giuseppe e di Mosè è in relazione col diverso grado di unione mistica con la divinità raggiunto dai due. Le ossa di Giuseppe il giusto (*saddiq*, poiché sempre osservò scrupolosamente i precetti positivi; corrispondente alla *sefirah yesod*, il fondamento) dunque furon sepolte a Sikhem in quanto le ossa rappresentano la parte fondamentale del corpo umano, ed il loro numero, 248, corrisponde appunto a quello dei precetti positivi contenuti nella legge (nella tesi, "poteri e milizie dell'albero superiore"). Mosè invece, che si adoperò per rispettare e far rispettare anche i 365 precetti negativi, fu elevato sino al giubileo, che è una delle configurazioni che la *sefirah binah* assume.

95. Pico tratteggia il tema squisitamente platonizzante dell'estasi come ricongiungimento all'anima universale, estasi che altrove chiama *mytat benešiqah*, "mors osculi", "morte di bacio". Cfr. la *Conclusio XI secundum opinionem propriam*.

per mezzo dello spirito, profetarono per mezzo della figlia della voce[96].

XLVI
Non vien punito un re terreno sulla terra, senza che prima non sia umiliata la milizia celeste in cielo[97].

XLVII
Per mezzo della parola *amen* viene delineato l'ordine con cui procede l'influsso delle *sefirot*[98].

96. Secondo alcuni qabbalisti il Signore, dopo aver dato ai saggi di Israele la facoltà di profetare normalmente (primo grado della profezia) e quindi di ispirarsi allo spirito santo (secondo grado), parla direttamente per bocca dei saggi stessi in estasi. Nel suo terzo grado la profezia dunque è "figlia della voce" (בת קול, *bat qol*), ossia eco della voce del Signore.

97. È una riproposizione della profezia di Isaia 24:21 "In quel giorno il Signore punirà in cielo l'esercito celeste e sulla terra i re della terra", ed è qui riferita alla diretta corrispondenza che vi è tra intelligenze angeliche e facoltà umane corrispondenti. In altri termini la giustizia divina in caso di peccati commessi da re e popoli, mortificherebbe dapprima le intelligenze preposte alle facoltà mal utilizzate.

98. Secondo alcuni qabbalisti, le tre lettere אמן della parola *amen* indicherebbero la prima (א *alef*) l'incomprensibilità di Dio, la seconda (מ *mem* aperta) l'apertura verso la conoscenza del bene, la terza (ן *nun sofit,* ossia *nun* finale) infine l'unione di maschio e femmina (poiché graficamente ricorda una *zain*, ז, simbolo maschile, allungata verso il basso).

millepiani

1. G. DELEUZE, F. GUATTARI, *Geofilosofia. Il progetto nomade e la geografia dei saperi*
   (Gennaio 1994, £ 18.000, - 1ª rist., marzo 1996)
2. Michel Foucault, *Eterotopia, Luoghi e non-luoghi metropolitani*
   (maggio 1994, 1ª rist., maggio 1996, £ 22.000)
3. Paul Virilio, *La deriva di un continente. Conflitti e territorio nella modernità*
   (novembre 1994, £ 20.000)
4. Walter Benjamin, *Il carattere distruttivo. L'orrore del quotidiano*
   (marzo 1995, £ 22.000)
5. M. Perniola, *Oltre il desiderio e il piacere. Territori dell'estremo e spaesamento*
   (Maggio 1995, £ 22.000)
6. James G. Ballard, *Il futuro è morto. Psicogeografia della modernità*
   (pp.144, Ottobre 1995, £ 22.000)
7. Félix Guattari, *Architettura della sparizione, architettura totale. Spaesamenti metropolitani*
   (pp.175, febbraio 1996, £ 23.000)
8. Gilles Deleuze, *Felicità nel divenire. Nomadismo, una vita*
   (pp. 144, marzo 1996, £ 22.000)
9. Michel Foucault, *Biopolitica e territorio. I rapporti di potere passano attraverso i corpi*
   (pp. 160, ottobre 1996 £ 22.000)
10. Mike Davis, *Geografia dell'espressione. Città e paesaggi del terzo millennio*
    (pp. 180, marzo 1997, £ 22.000)
11. Antonin Artaud, *Il sistema della crudeltà. Gli affetti, le intensità, il linguaggio dei corpi*
    (pp. 160, maggio 1997, £ 22.000)
12. G. Deleuze, P. Klossowski, *Simulacri e filosofia. Maschere, segni, eventi nella polis contemporanea*
    (pp. 152, ottobre 1997, £ 23.000)

13. G. Deleuze, F. Guattari, *Droghe e suoni: passioni mute. Paesaggi musicali e paesaggi della dipendenza*
(pp. 160, ottobre 1998, £ 23.000)
14. Jean Baudrillard, *Cyberfilosofie. Fantascienza filosofia e nuove tecnologie*
(pp. 160, maggio 1999 £ 23.000)

EtEROToPiE

- Aa. Vv., *Internet e le muse. La rivoluzione digitale nella cultura umanistica* (a c. di P. Nerozzi Bellman), £ 28.000
- Aa. Vv., *Il secolo deleuziano. Con due testi di Gilles Deleuze* (a c. di S. Vaccaro), £ 28.000
- O. Marzocca, *Transizioni senza meta. Oltremarxismo e antiecono-mia*, £ 26.000
- Aa. Vv., *Congenialità e traduzione, Barisone / Chaucer, Bacigalupo / Wordsworth, Kemeny / Byron, Righetti / Browning, Parks / Calasso*, a cura di Paola Carbone, 24.000
- U. Fadini, *Principio metamorfosi. Verso un'antropologia dell'artificiale*, £ 28.000
- Aa. Vv., *Spazi della patologia, patologia degli spazi* (a cura di P. Mello), £ 26.000
- S. Berni, *Soggetti al potere. Per una genealogia del pensiero di Michel Foucault*, £ 18.000
- P. Ferri, *La rivoluzione digitale. Comunità e individuo nell'era dei bit*, £ 24.000

ANΘOYCA

- Fausto di Bisanzio, *Storia degli Armeni* (a cura di G. Ulohogian) £ 30.000

i cabiri

- M. Perniola, *Più-che-sacro, più-che-profano* £ 9.000
- Nicola da Cusa, *Il dio nascosto* (a cura di L. Parinetto) £ 9.000
- L. Andreas Salomé, *Il tipo femmina* (a cura di T. Villani) £ 9.000
- M. Idel, *Cabala ed erotismo* £ 13.000
- L. Feuerbach, *Rime sulla morte* (a c. di L. Parinetto) £ 15.000
- S. De Beauvoir, *La donna e la creatività* (a c. di T. Villani) £ 9.000
- H. Arendt, *La lingua materna* (a cura di A. Dal Lago) £ 12.000
- M. Foucault, *Poteri e strategie. L'assoggettamento dei corpi e l'elemento sfuggente* (a cura di P. Dalla Vigna) £ 15.000
- G. G. Clérambault, *Il tocco crudele, la passione erotica delle donne per la seta* (a cura di T. Villani) £ 12.000
- G. Bataille, *Metodo di meditazione* (a cura di M. P. Candotti e M. C. Lala) £ 12.000
- G. Pico della Mirandola, *Conclusioni cabalistiche* (a cura di P. Fornaciari) £ 12.000
- Ch. Wulf, *Mimesis. L'arte e i suoi modelli* (a c. di P. Costa) £ 14.000
- al-Kīndī, *De Radiis. Teorica delle arti magiche* (a c. di E. Albrile e S. Fumagalli), £ 15.000
- A. Ponzio, *La differenza non indifferente. Comunicazione, migrazione, guerra* £ 20.000
- Th. Lessing, *L'odio di sé ebraico* (a c. di U. Fadini) £ 14.000
- J.G. Frazer, *Matriarcato e dee madri* (a c. di M.P. Candotti) £ 13.000
- St. Agostino, *Le eresie* (a c. di S. Fumagalli) £ 14.000
- L. Parinetto, *Il ritorno del diavolo* £ 12.000
- Hegel - Hölderlin, *Eleusis, Carteggio* (a c. di L. Parinetto) £ 12.000

Simorγ

MIMESIS

- F. W. J. Schelling, *Le divinità di Samotracia* £ 12.000
- P. Dalla Vigna, *L'opera d'arte nell'età della falsificazione* £ 12.000
- T. Villani, *Demetra* £ 12.000
- R. McCully, *Jung e Rorschach* £ 35.000
- P. Klossowski, *La moneta vivente* £ 13.000
- Ermete Trismegisto, *Corpo ermetico, Asclepio* £ 33.000
- Ermete Trismegisto, *Estratti di Stobeo: Kore Kosmu* £ 28.000
- Ermete Trismegisto, *Liber hermetis* £ 30.000
- M. Tasinato, *Elena, velenosa bellezza* £ 15.000
- Aa. Vv., *Corpo Simbolo Rorschach* £ 26.000
- M. Tasinato, *Tempo svagato. Marco Aurelio: il savio, il distratto, il solitario* £ 20.000
- *Vendidad, legge di abiura di tutti i demoni dell'*Avesta *zoroastriano* a c. di A. Panaino, £ 38.000
- M. Perniola, C. Formenti, J. Baudrillard, ecc., *Guerra virtuale e guerra reale* £ 17.000
- H. Prinzhorn, *L'arte dei folli* £ 26.000
- T. Villani, *I cavalieri del vuoto. In nomadismo nel moderno orizzonte urbano* £ 15.000
- Plotino, *Enneadi I e II* £ 33.000
- al-<u>Gh</u>azālī, *La perla preziosa* £ 16.000
- Patañjali, *Yoga sūtra*, £ 26.000
- E. Baccarini, T. Cancrini, M. Perniola, (a cura di) *Filosofie dell'animalità* £ 30.000
- Angelus Silesius, *L'altro io di dio* (a cura di L. Parinetto), £ 30.000
- A. Van Sevenant, *Il filosofo dei poeti, l'estetica di Benjamin Fondane,* £ 23.000
- Eraclito, *Fuoco non fuoco*, tutti i frammenti (a cura di L. Parinetto), £ 30.000
- Metrodora, *Trattato di medicina naturale e cosmesi ad uso delle donne* (a c. di G. del Guerra), £ 18.000

- *Atharvaveda, il veda delle formule magiche* (a c. di P. Rossi), £ 26.000
- Giordano Bruno, *Il sigillo dei sigilli e i diagrammi ermetici* (a c. di U. Nicola), £ 20.000
- Ermete Trismegisto, *Testi egizi e armeni di filosofia e astrologia* (a c. di P. Alloni), £ 20.000
- Th. Adorno, E. Canetti, A. Gehlen, *Desiderio di vita. Conversazioni sulle metamorfosi dell'umano* (a c. di U. Fadini), £ 22.000
- Firmico Materno, *In difesa dell'astrologia. Mathesis, l. I* (a. c. di E. Colombi), £ 20.000
- Aa. Vv., *Lo specchio dell'Alchimia, trattati alchemici ed ermetici del rinascimento*, £ 35.000
- al-Bīrūnī, *L'arte dell'astrologia* (a c. di G. Bezza, Introd. di A. Panaino), £ 30.000
- M. Perniola (a cura di), *Il pensiero neo-antico*, £ 20.000
- Eph. Gh. Lessing, *Il teatro della verità. Massoneria, Utopia, Verità* (a c. di L. Parinetto), £ 30.000
- Giordano Bruno, *L'arte della Memoria. Le ombre delle idee* (a c. di E. Maddamma), £ 30.000
- AA. VV., *Michel Foucault e il divenire donna*, a c. di S. Vaccaro e M. Coglitore, Prefazione di T. Villani, con *Quattro interventi di M. Foucault sulla sessualità* £ 30.000
- G. Schiaparelli, *Scritti sulla storia dell'Astronomia antica*, tomo I, £ 45.000
- G. Schiaparelli, *Scritti sulla storia dell'Astronomia antica*, tomo II, £ 45.000
- Ildegarda di Bingen, *Come per lucido specchio. Il libro dei meriti di vita* (a c. di L. Ghiringhelli), £ 35.000
- M. Perego, *Le parole del sufismo. Dizionario della spiritualità islamica*, £ 35.000
- G. Schiaparelli, *Scritti sulla storia dell'Astronomia antica*, tomo III, £ 40.000
- P. Thea, *Gli artisti e gli "spregevoli". 1525: la creazione artistica e la guerra dei contadini in Germania*, £ 28.000
- A. Arecchi, *Abitare in Africa. Architetture, villaggi e città nell'Africa subsahariana dal passato al presente*, £ 31.000

- AA. VV., *Schiaparelli: storico della astronomia e uomo di cultura*, (a c. di A. Panaino e G. Pellegrini), £ 30.000
- AA. VV., *L'anima del paesaggio tra geografia ed estetica* (a c. di L. Bonesio e M. Schmidt di Friedberg), £ 26.000

Fuori catalogo

- *Mandala. Colori e forme per una ricerca interiore tra micro e macrocosmo*, a cura di Takshaka, £ 18.000
- G. Schiaparelli, *La vita sul pianeta Marte. Tre scritti di Schiaparelli su Marte e i "marziani"*, a cura di P. Tucci, A. Mandrino, A. Testa, £ 24.000

D *iacronie*

- V. Collina, *Estetismo e politica in Paul-Louis Courier* £ 25.000
- Aa. VV. *Inventiva e invettiva nell'Ottocento Francese. I pamphlets di Courier, About, Veuillot, Lafargue*, a cura di V. Collina e G. Revai £ 26.000
- V. Collina, C. De Boni, B. Casalini, G. Bonaiuti, *Il popolo e le elités. Tra Romanticismo e Positivismo nella Francia dell'Ottocento*, a cura di V. Collina £ 22.000

Stampato nel mese di maggio 1999
dalla Litografica Abbiatense snc
Abbiategrasso (Mi)